내 일을 지키고 싶은 엄마를 위한 안내서

인터뷰집

Guidebook for Mom Who Wants to Keep Her Work

인터뷰이

이혜선
직장인(프로그래머) 19년, 에세이 작가
40대 후반
자녀 2명(11세, 9세)

최유진
직장인(승무원·호텔 스태프) 10년,
경력 공백 3년, 파트타임 3년 후 재취업
40대 초반
자녀 1명(11세)

안자영
아동상담 경력 5년, 경력 공백 5년 후 재취업, 상담연구원 2년
30대 후반
자녀 2명(7세, 5세)

김우영
직장인(UX디자이너) 10년, 일러스트레이터 작가
30대 후반
자녀 1명(7세)

송지현
직장인 경력 11년, 6번 이직
30대 중반
자녀 1명(11세)

장명희
직장인(국회의원 비서관) 10년
30대 중반
자녀 1명(12개월)

이민정
직장인(방송사 PD) 3년, 사진관 창업 6년
30대 후반
자녀 2명(8세, 3세)

박성혜
직장인(마케터) 10년, 가족 비즈니스 5년,
책방 창업 4년
40대 초반
자녀 2명(11세, 7세)

조현주
직장인(디자이너) 14년, 병원 동행 서비스 창업 2년
30대 후반
자녀 1명(22개월)

정민지
애니메이션 감독 10년(한국), 프리랜서 4년(네덜란드)
30대 중반
자녀 1명(17개월)

프롤로그

일하지 않는 나를 생각해 본 적 없지만 엄마가 되고 난 후 일하는 하루하루가 도전이었습니다. "엄마 회사 가지 마" 우는 아이를 뒤로하고 나서는 출근길과 아이들을 재우고 늦은 밤 다시 책상에 앉는 건 일상이 되었습니다. 일이 산더미여도 아이들이 아프면 모든 걸 멈춰야 하고 평일 저녁 시간과 주말은 '아무것도 못 한다'가 기본값입니다. 잠을 줄이고 이동 시간도 틈틈이 쓰면서 일에도, 육아에도 열심이지만 그래도 어딘가 부족하고 미안한 마음을 떨칠 수가 없습니다. 집에서 일에 몰두했던 어느 날, 아이 울음소리를 듣지 못했습니다. '뭐 대단한 일 한다고 애 울음소리도 못 듣나' 나쁜 엄마가 된 것 같아 눈물로 밤을 새웠습니다.

/ 인성

서울, 부산, 대구를 옆동네처럼 누비며 교통수단별 시간 활용팁이 쌓여갑니다. KTX에서는 집중해서 일하고, 운전 중에는 장시간 통화가 필요한 업무나 팟캐스트 청취의 시간으로, 심야 귀가 시에는 별다방 프라푸치노 한 잔 값을 아껴 리무진 버스로 체력을 축적할 것. 서울역 택시 승강장에서 집으로 향하는 기차까지 2분 만에 질주하며 내 안에 잠재되어 있던 달리기 능력을 발견합니다. 엄마를 기다리는 아이를 생각하면 초인적인 힘이 솟아납니다. 그럼에도 늘 미안하고 부족한 엄마일 수밖에 없는 현실이 속상하지만, 오늘 엄마가 하원시간에 못 온 이유를 아이에게 설명하며 스스로 다짐합니다. 너를 위해서 엄마는 매순간 최선을 다해 살아가고 있다고. 지금도. 앞으로도.

/ **유미**

아이가 콧물이라도 나면 가슴이 철렁 내려앉았습니다. 내일 출근할 수 있을까. 이렇게 계속 일할 수 있을까. 언제까지 버틸 수 있을까. 링거를 맞고 위산제를 털어 넣던 어느 날, 9년 다닌 회사에 사표를 냈습니다. 퇴사한 지 2년, 이직과 창업을 거치는 사이 아이는 훌쩍 컸지만 여전히 일-가정 양립은 위태위태합니다. 하고 싶은 일도 있고, 최선을 다하면 잘할 수 있을 것도 같은데 늘 시간 부족에 허덕입니다. "엄마는 맨날 놀아주지도 않고 일만 하니까 어린이집이나 가야겠다"는 5살 아이의 푸념을 들으며 내가 너무 욕심부리고 있는 게 아닐까. 가족을 너무 힘들게 하는 게 아닐까. 수시로 죄책감과 회의감이 밀려옵니다.

/ **현진**

왜 이렇게 어려울까? 나만 어려울까? 나만 포기하면 되는 걸까? 고민은 끝이 없었지만 어디에서 해답을 찾아야 할지 막막했습니다. 앞이 잘 보이지 않는 안개 속에서 방황하면서도 우리는 다시 컴퓨터 앞에 앉았고, 집을 나섰습니다. 아이들을 사랑했지만 내 일도 포기할 수 없었습니다.

나를 지키고 싶은 엄마를 위한 웹진 <마더티브>, 엄마의 잠재력에 주목하는 〈포포포 매거진〉. 엄마들의 서사를 담는 우리는 그 해답을 직접 찾아보기로 했습니다.

100명의 엄마가 있다면 100개의 서사가 있습니다. 우리는 다양한 엄마들의 일 서사를 발굴해 일 아니면 육아였던 이분법적 선택지가 아닌 여러 갈래의 길을 제시하고 싶었습니다. 대기업의 높은 자리에서 일하지 않아도, 연 매출 몇억 원 같은 성공 신화를 이루지 않아도 내 일을 지키기 위해 다양한 방법으로 나아가고 있는 이들의 서사를 모으고 싶었습니다.

또 엄마들이 내 옆의 다양한 레퍼런스를 발견하고 연결해 나만의 방식을 찾아 지속 가능하게 일할 수 있기를 바랐습니다. 환상 같은 롤모델을 좇다 “난 역시 안 돼”라며 좌절하기보다 작은 부분일지라도 내가 시도하고 성취할 수 있는 가능성에 더 집중했으면 하는 마음이었습니다. 우리도 그런 가능성이 모여 길이 되는 경험을 했기 때문입니다.

10명의 엄마를 만났습니다. 이미 연결된 분들을 인터뷰이로 섭외하기도 했지만 새로 만난 인물이 더 많습니다. 다양한 서사를 모으기 위해 인터뷰이를 공개 모집했고 여러 분이 직접 자신의 이야기를 나누고자 신청해주셨습니다. 예상보다 많은 분이 신청해주셔서 감사했지만 지면의 한계로 모두 만날 수 없었습니다. 미처 다 나누지 못한 이야기는 앞으로 또 들을 수 있길 바랍니다.

각자 다른 직군, 배경, 상황 등을 고려해 인터뷰이 10명을 선정했습니다. 회사 안 생존법을 고민하는 엄마, 수많은 이직을 거친 엄마, 육아 때문에 경력 공백을 겪은 후 다시 일을 시작한 엄마, 창업한 엄마, 프리랜서 엄마, 싱글맘… 나름의 방식으로 내 일을 지켜나가는 다양한 이들의 이야기를 들었습니다.

인터뷰 시작을 코앞에 두고 코로나19 확산이 다시 극심해졌지만 엄마들은 발이 묶이는 상황이 익숙했습니다. 밤 10시, 아슬아슬 아이를 재우고 비로소 혼자가 될 수 있는 시간에야 우리는 컴퓨터 앞에 앉아 서로를 마주했습니다. 비록 온라인이었지만 진심 어린 공감과 위로를 나누며 인터뷰는 자정을 넘기기 일쑤였습니다.

직장맘 20년, 엄마가 된 후 성취감의 기준이 달라진 이혜선님
육아휴직 1호, 재취업… 다양한 현실 조언 대방출한 최유진님
5년 경력 공백을 딛고 전공과 경력을 이어가고 있는 안자영님
동네 사진관을 운영하며 또 다른 꿈을 탐색 중인 이민정님
사이드 프로젝트 '밀키베이비'를 내 일로 확장한 김우영님
이직만 6번, '일-가정 양립' 위해 분투 중인 송지현님
'워킹맘 불모지' 국회에서 살아남기로 결심한 장명희님
창업과 동시에 임신해 아이와 회사를 동시에 키워낸 조현주님
엄마로 시작된 삶을 예술로 승화시킨 '애플맘' 정민지님
책방을 아이와 엄마가 함께 자라는 공간으로 만든 박성혜님

30시간의 인터뷰에서는 사적이지만 그래서 더 필요한 구체적인 경험담과 현실적인 조언들이 쏟아졌습니다. 뒤에 올 엄마들의 절실한 마음을 누구보다 잘 알기에 10명의 인터뷰이는 말을 아끼지 않았습니다.

우리가 나눈 이야기가 명쾌한 해답이 되지 않을 수도 있습니다. 당장 이직이나 재취업할 수 있는 일자리를 제공해 줄 수 있는 것도 아니고요. 다만 이 책이 우리 뒤에 올 여성들이 나아갈 길 위의 돌부리 몇 개를 치우고, 몇 가지 방향을 안내하는 표지판이 되길 바랍니다. 조금이나마 우리보다 덜 넘어지고, 덜 헤매도록요.

마티포포 저자들을 대표하여 최인성

차례

한 직장 20년, '존버'의 비결

이혜선
직장인(프로그래머) 19년, 에세이 작가
40대 후반
자녀 2명(11세, 9세)

#한직장20년 #나만의_생존법 #생계와꿈사이
#육아휴직 #오프스위치 #글쓰기는_숨구멍

직장 생활 20년 차라는 이혜선님의 소개에 모두가 '우와' 탄성을 내지를 수밖에 없었다. 한 직장에서, 그것도 아이를 키우며 19년을 보내는 게 어떻게 가능했을까. 초등학생 두 아이를 키우고 있는 혜선님은 직장에 다니면서 사이드 프로젝트로 블로그 운영과 글쓰기를 꾸준히 병행해왔다. 최근에는 <엄마에겐 오프 스위치가 필요해> 책을 내기도 했다. 일-육아-사이드 프로젝트까지, '존버'의 비결이 궁금했다.

2001년에 첫 직장 입사해서 올해로 20년 차라고 들었어요. 어떤 일을 하고 계신 거예요? "IT 대기업에 만으로 19년을 다녔어요. IT 프로그래머고요. 진행했던 프로젝트로는 대국민 서비스 교통카드 시스템 개발 등을 했어요. 기관에 가서 개발해주고 나오고. 그때마다 근무지가 바뀌었어요. 그래서 오래 일할 수 있었던 것 같아요."

대학에서 개발을 전공하신 거예요? "전공은 조경학과였어요. 제가 입사할 때만 하더라도 (입사 기준이) 전공 불문이었어요. 그때는 회사에서 개발자도 융합적 사고가 필요하고, 프로그램 언어는 가르치면 된다고 생각했던 것 같아요. 지금은 전공자만 뽑는다고 하더라고요(웃음)."

힘들지 않으셨어요? "제가 목표 지향적이었어요. 과장 진급할 때까지 아이가 없었어요. 과장 진급은 한 번에 했는데 과장 말년에 아이 둘을 낳으면서 승진에서 밀리기 시작했어요. 이 사실을 인정할 수 없었어요. 저 스스로 뒤처지는 게 용납이 안 되더라고요. 저는 원래 '회생회사', 회사에 살고 회사에 죽는 사람이었어요. 애사심도 뛰어났고 일에 대한 성취 욕구도 컸고요. 주말에도 나가서 일했어요. 그런데 2010년에 아이 둘을 거의 연년생으로 낳으면서 커리어에 공백이 생긴 거죠."

'회사 인간'이
'연년생 엄마'가 됐을 때

2001년에 입사해서 초반 10년은 엄청 일만 열심히 했고, 이후 10년은 엄마로 직장인으로 힘든 시기를 보낸 거네요. 첫째 육아휴직 끝나고 돌아가기 전에 둘째를 임신했다고 들었어요. "첫째 때 오랜 기간 난임이어서 임신이 그렇게 잘 될 줄 몰랐어요(웃음). 첫째 10개월 때 둘째를 임신했어요. 첫째 육아휴직은 다 썼고 둘째는 육아휴직 3개월 남겨놓고 회사로 돌아왔어요. 못 해 먹겠더라고요. 육아가 적성에 안 맞았어요(웃음)."

아이를 엄청 기다리신 거 아니에요? "첫째는 남편이랑 정말 잘 키웠어요. 합이 잘 맞았죠. 보조자만 있어도 육아가 어렵지는 않아요. 그런데 둘째를 낳으면 보조자가 아니라 둘 다 주체자가 되어야 하는데 그게 안 맞더라고요. 첫째가 두 돌도 되기 전에 둘째가 나왔는데 첫째한테 왜 못 걷냐고 화내고 그랬어요. 첫째도 아직 어린데 말이에요. 그때는 일도 육아도 너무 잘하고 싶은 욕심이 있었던 것 같아요. 둘 다 잘할 수 없다는 걸 머리로는 인정하는데 잘 안 되는 거죠."

시부모님이 육아를 도와주셨다고 들었어요. "둘째 10개월 때 복직하려고 도우미를 알아봤는데 답이 없더라고요. 애 둘 입주 도우미가 중국 동포는 180만 원, 한국인은 200만 원이 넘었는데 당시에 남편이 사업을 해서 큰 수입이 없었어요. 제 수입만으로 서울 집세와 도우미 비용을 감당할 수 없겠더라고요. 그때 시어머니가 손을 내밀어 주셨어요. 애 봐줄 테니까 경기도로 오라고요. 그렇게 합가해서 4년 정도를 같이 살았어요."

쉽지 않으셨을 것 같아요. "시어머니가 좋으신 분으로 동네에 소문이 많이 나 있어요. 지금도 감사하고 있지만 같이 사는 건 다른 문제였던 것 같아요."

'적성에 안 맞는 일'을 오랫동안 해왔다고 글 쓰신 걸 봤어요. 그럼에도 계속 일을 할 수 있었던 동력이 뭔지 궁금해요. "사실 지금 생각해보면 저는 프로그램이 좋아서가 아니라 회사가 좋아서 입사했어요. 솔직히 프로그램에 재능은 없었어요. 같은 소스를 짜도 저는 일주일 동안 헤매는데 프로그램 잘 하는 사람은 2시간 만에 해결해요. 공대 사람들은 코드 몇 줄이면 끝인데 저는 문과 성향이라 코드도 긴 산문이에요(웃음). 재능도 없고 적성에도 안 맞았지만 꾸역꾸역 버틴 이유는, 어디론가 출근해서 일하는 것 자체가 좋았어요."

'회생회사'였다고 하셨는데 원래는 흔히 말하는 '커리어 우먼'을

꿈꾸셨나요? "40대 중반쯤 되면 회사에서 임원 하나쯤 하고 있을 줄 알았어요. 47세인데 평사원? 이런 모습일 줄 상상도 못했죠(웃음). 해외 법인장을 한번 해보고 싶었어요. 첫째 임신 전에 해외 프로젝트를 했던 이유도 해외 프로젝트에 한번 발을 담그고 나면 계속 그쪽으로 능력이 키워지거든요. 근데 프로젝트 시작하자마자 임신해서 중도 하차했고, 둘째까지 낳으면서 2년 6개월 공백이 생기게 된 거예요. 그 후로 해외는 아예 못 갔죠. 그다음에는 야근이 너무 많으니까 야근 없는 조직으로 계속 전배(전환배치)를 했어요. 커리어 측면에서 좋은 케이스가 아닌 거예요. 그전에는 '회생회사'였다면 그후에는 아이 위주로 커리어를 변경했어요."

엄마들도 커리어 황금기가 있는데 딱 그 시기에 아이들이 엄마를 엄청 필요로 하는 것 같아요. "제 양 다리에 모래 주머니가 묶여 있었던 것 같았어요. 모래 주머니가 묶여 있으면 달릴 수 없잖아요. 남편한테 이 이야기를 했더니 이해를 못 하더라고요. 이렇게 예쁜 아이들을 낳고 왜 그런 생각 하냐고. 애들은 예쁘죠. 애들은 예쁜데...(웃음)."

회사에 혜선님 비슷한 연차 여성분들 많이 계세요? "어느 날 회의하다 주위를 둘러보니 여자가 없더라고요. 원래 이렇게 여자가 없었나? 거기가 전투적이었던 조직인데 50명 중에 애 엄마가 3명뿐이었어요. 나머지는 다 그만두거나 다른 부서로 전배가거나 이직하거나. 몇 날 며칠 밤새워서 일하는 상황을 못 견디는 거예요. 밤늦게 사무실에 앉아서 조직도를 보던 제 모습이 아직도 생각나요. 현타가 왔어요. '지금 상황이 이런 거였구나' '내가 얼마나 버틸 수 있을까?' 계산하게 되는데 '버텨야겠어' 이게 아니라 '아, 내가 여기 있다가는 오래 못 다니겠다.' 싶어서 팀을 옮겼어요.

회사에 혜선님과 비슷한 상황의 여성 동료가 많지 않겠어요. "부서마다 달라요. 지금 있는 부서는 9to6가 확실하거든요. 여자들이 엄청 많아요. 여태까지 프로젝트 하면서 이렇게 여자들 많은 조직은 처음이에요. 9to6만 지켜져도 엄마들이 계속 일할 수 있는 거예요. 주 52시간 근무제가 시행되기는 했지만, 우리나라는 일을 많이 하면 일을 잘한다는 인식이 아직까지 많아요. '쟤는 스스로 나와서 주말에 일하네, 스스로 야근하네. 일 잘하는 것 같은데?' 여자들, 특히 엄마들은 그런 분위기 때문에 일하기 힘들어요."

가장 그만두고 싶었을 때는 언제였나요? "차장 진급 4번 물먹었을 때요. 그런 생각 들잖아요. 애도 잘 못 보는데 회사일도 못 해(웃음). 나 열심히 안 사는 거 아닌데. 새벽에 일어나서 글쓰고 영어 공부도 하고 열심히 산 것 같은데 왜 이 모양이지? 아웃풋이 안 나오니까 손을 놔버리고 싶었어요."

성취감의 기준이
달라진 거죠

그럼에도 왜 계속 다니신 거예요? "돈이죠, 돈(웃음). 생계가 돼야 적성을 찾는 거잖아요. 청소년기에 부모가 가난하면 아이들이 꿈을 꿀 수가 없잖아요. 아빠가 잘 못 벌면 엄마가 벌어야 하는 책임이 저한테 있다고 생각했어요. 아이들이 최소한 꿈을 꿀 수 있는 환경을 만들어주고 싶었어요. 그래서 그 시기에는 감사한 마음으로 다녔던 것 같아요. 적성에 안 맞아도 일을 할 수 있다는 것, 회사가 나를 아직 써준다는 것에 감사했어요."

이직은 생각 안 해보셨나요? "이직 결심했을 때가 40대 중반이었어요. 나이가 차면 절대 올라갈 수 없는 유리천장이 느껴지는데, 유리천장을 뚫기에는 제가 가진 학벌, 사내 정치, 엄마 혹은 여자라는 정체성 등 여러 가지 조건이 좋지 않았어요. 이직을 하려면 아예 작은 회사에 가야 하는데 제가 거의 외벌이니까 연봉을 낮추는 건 안 됐고요. 다른 하나는 판교 쪽 벤처 회사에 갈까 했는데 헤드헌터가 그러더라고요. 판교는 30대가 마지노선이라고. 전배랑 이직이랑 골고루 알아보다가 전배를 했어요. 경력 단절을 겪는 사람들의 느낌, 저는 그걸 그때 느꼈어요."

'적성에는 안 맞지만 생계 때문에 회사 다닌다'라고 담담하게 인정하게 되기까지 쉽지 않은 과정이 있으셨을 것 같아요. 어떤 계기가 있으셨나 궁금해요. "적성에는 맞지 않았지만 일의 성취감은 있었는데요. 아이를 낳고 일하면서 '인정' 부분이 사라졌어요. 그랬더니 남는 부분은 눈에 보이는 현실적인 생계였고, 이 부분이 가장 컸어요. 아마 대한민국 40대 직장인이라면 누구나 그렇지 않을까요? 좀 느리게 가더라도 아이들과 보조를 맞추며 가고 싶다고 생각했어요. 엄마가 되고 나서 성취감의 기준이 달라진 거죠."

일-육아를 병행하는 건 두 다리에 모래주머니를 차고 있는 느낌이라고 하셨는데요. 혜선님만의 생존법이 궁금해요. "지금은 둘 다 초등학생인데 큰애가 6살, 둘째가 4살일 때 너무 힘들었어요. 그때 심리 상담받았는데 그분이 해준 이야기가, 일주일에 한 번 집에 가기 전에 30분 정도 쉬었다 가라고 하더라고요. 생각해 보니 나를 너무 돌아볼 시간이 없는 거예요. 계속 소진되니까 우울감이 생기고요. 그래서 일주일에 한 번이라도 나를 돌아볼 시간을 꾸준히 지켰어요. 너무 바빠서 야근한다고 못 지켰으면 남편한테 주말에 반나절 정도만 나갔다 오겠다 말하고 토요일 오전 9시부터 낮 12시까지 혼자 카페에서 책 읽고 멍때리는 시간을 보냈어요. 일주일에 3시간 정도만 나를 찾는 시간을 가져도 숨통이 트이더라고요. 남편이 실수해도 관대해지고요. '그래, 너도 힘들지?' 하면서요. 결국 내가 여유가 있어야

남도 보이더라고요."

나만 힘든 게 아닌 걸 아는데, 남편과 서로 내가 더 힘들다고 불행 배틀을 하게 되는 것 같아요. "그때는 남편이 일요일에 저를 밖으로 내보냈어요. 남편도 제가 짜증 내는 게 너무 힘들었던 거예요. 그 시기가 지나고 나니까 남편이 진짜 가족 같아요. 그전에는 남편이지만 타인 같다는 느낌이었거든요. 지금도 남의 편이기는 하지만(웃음) 전우애가 생긴 것 같아요."

그럼 그때 나가서 글쓰기를 시작하신 거예요? "<오마이뉴스>에 글쓰기 시작한 건 그때쯤이고 블로그 글쓰기는 그전부터 시작했어요. 둘째 육아휴직 복직 1~2년 후부터 본격적으로 글쓰기를 시작했어요. 너무 힘들어서 어딘가 토로하고 싶은데 들어줄 사람이 없으니까요. 처음에는 배설하듯 글을 썼는데 너무 재밌는 거예요. 제게는 사이드 프로젝트가 회사 생활을 버틸 수 있게 해주는 숨구멍 같았어요. 만약 회사 생활만 했다면 회사 생활이 힘들었을 것 같아요. 그래서 바빠도 버티면서 글쓰기를 병행할 수 있었어요."

글은 대체 언제 쓰시는 거예요? "저는 새벽에 더 집중이 잘 되더라고요. 새벽 아니면 글 쓸 시간이 없어요. 보통 밤 10시쯤 잤다가 새벽 4시쯤 일어나요."

네이버 카페 '엄마일 연구소'에서 글쓰기 모임 리더도 하고 계시잖아요. 어떻게 시작하게 되셨나요? "카페지기가 오랜 블로그 이웃이에요. 오랫동안 소통하던 이웃이니까 의리로 카페 가입하고 글쓰기 모임 제안받아서 시작하게 됐어요. 1년 반 정도 됐네요. 월~금 매일 1일 1포스팅 글쓰기 하고 주말에는 가족들과 시간 보내야 하니까 쉬고요. 매일 글쓰기 하면 멤버들끼리 공유하고 응원해줘요. 따로 소규모로 멤버들을 모아서 에세이 글쓰기도 하고 있는데 나중에는 이 에세이를 오픈해서 판매하는 프로젝트를 해보려 해요. 소설 쓰기도 도전해보고 싶고요. 영상 시대라고 하는데 영상은 별로 안 하고 싶고, 글을 한번 팔아보고 싶어요. 내가 하고 싶은 일과 세상의 접점은 뭘까 고민 중이에요. 사람들이 어떤 글에 돈을 쓰나 요즘 분석하고 있어요(웃음)."

'글 쓰는 워킹맘'이라는 정체성으로 오래 글을 쓰셨잖아요. 엄마들이 고민 상담도 많이 할 것 같은데, 어떤 고민이 가장 많나요? "회사 일도 잘 못 하는데 애도 잘 못 볼 때 자괴감을 느끼는 것 같아요. 둘 중 하나라도 잘하면 '나 이거 잘해' 하는데. 학교에서 애가 0점 받아오는데 회사에서는 상사한테 깨져. 그럼 회사를 그만둬야 하나 고민하는 거죠. 또 의외로 상사와의 불화보다 후배와의 관계에 대한 고민이 많더라고요. 중간 관리자에서 올라가야 하는 단계에서 애도 챙겨야 하고 퍼포먼스도 내야 하는데 아래에서 똘똘한 후배들이 치고 올라오면 '쟤가 날 뭘로 보나' 싶고 작은 것에 상처받고요."

애도 못 보고 일도 못 하는 것 같다는 고민에 대해서는 뭐라고 답해주세요? "그냥 힘을 좀 빼라고 얘기해요. 둘 다 잘하는 사람은 없으니까요. 회사 일을 잘하는 사람과 나의 삶은 다른 거고 애들도 다 케바케예요. 내가 잘 키운다고 잘 크는 것도 아니고 지들이 잘 크는 거죠. 마음을 비우고 내려놓으라고 얘기해줘요. 100미터 달리기가 아니라 마라톤 하듯이요. 성장 곡선이 사람마다 다르잖아요. 어떤 날은 떨어졌다 어떤 날은 올라가고 계단식으로 가기도 하고요. 멈추지만 않는다면 내가 원하는 걸 이룰 수 있으니까 계속 가는 게 좋을 것 같아요."

아무래도 임신 전에 경험한 효능감이 있다 보니 출산 후 내려놓는 게 잘 안 되는 것 같아요. "'엄마, 여자는 어쩔 수 없다'는 소리 듣는 게 싫어서 이 악물고 버티게 되는 것 같아요. 저도 최근에 코로나 때문에 버티고 버티다 결국 육아휴직 이야기를 꺼냈어요. 이야기하고 나니 그럴 필요가 없었는데 나를 또 소진했다는 생각이 들더라고요."

제2의 직업은 진짜 좋아하는 일로

왜 갑자기 육아휴직을 하게 되신 거예요? "그놈의 코로나 때문에요. 개학이 연기되다가 온라인 개학을 했잖아요. 아이들 학습이 엄마의 책임과 부담으로 돌아왔어요. 온라인 개학 시범 오픈할 때 아침에 출근해서 2~3일 내내 전화를 붙들고 살았어요. 어머님은 컴퓨터 켤 줄 모르고 애들한테 이야기하고 와도 오후에 진도 확인하면 0프로인 거예요. 퇴근하고 애들 학습시켜야 하고 선생님한테도 연락 오니까 스트레스였어요.
거기에 제가 담당하던 업무에서도 큰 이슈가 터졌어요. 그걸 해결하려면 계속 야근을 해야 하는데 저는 퇴근을 해야 하는 거예요. 시어머니가 육아를 도와줘도 엄마의 시간과 자리는 또 필요하더라고요. 아이들이 커도요. 여기에 <엄마에겐 오프 스위치가 필요해> 책 출간 앞두고 퇴고도 해야 하고. 이러다 아무것도 안 되겠다 싶어서 둘째 육아휴직 3개월 남은 거 쓰기로 했어요. 다른 휴가까지 더해서 내년 초까지 휴직하게 될 것 같아요."

초등학교 1학년을 '워킹맘의 무덤'이라고 하는데 코로나는 더 심각한 것 같아요. "초등학교 1학년은 오히려 안전장치가 많아요. 돌봄교실도 잘 돼 있고 학습량도 많지 않고요. 먼저 겪어본 사람들의 노하우도 많고요. 그런데 코로나는 나도 학교도 처음이라 우왕좌왕 하는 거예요. 애들 학력 격차도 커지고요. 그런데 집에 있어도 아이들 챙기는 게 쉽지 않아요. 애가 둘이니까 한 명이 빼먹고 가고 한 명이 또 뭐 안 하고. 보이지 않는 엄마의 손길이 많이 필요하더라고요."

크면 괜찮아질 줄 알았는데 아닌가요? "그러니까요."

휴직 기간 끝나면 혹시 퇴사하시는 건가요?(웃음) "회사를 언제까지 다닐지 모르잖아요. 사이드 프로젝트가 처음엔 취미였다가 지금은 이걸 일로 해볼까 싶기도 해요. 지금까지 회사에서 버틴 이유는 돈 때문이었는데 제2의 직업은 내가 진짜 좋아하는 일을 해보고 싶어요. 당장 퇴사로 이어지는 건 아니지만 쉬는 기간 동안 그 기반을 마련해놓고 복직하고 싶어요."

여성들이 계속 일하기 위해서 제도적으로, 사회적으로 개선됐으면 좋겠다는 점 있을까요? "육아휴직 기간 1년은 너무 짧은 것 같아요. 2~3년 기간을 쪼개서 자유롭게 쓸 수 있으면 좋을 것 같아요. 국공립 어린이집이 많이 확대돼서 믿고 맡길 수 있는 보육 기관이 늘어나야 하고요. 그래야 엄마들이 마음 놓고 일할 수 있는 상황이 되지 않을까요?"

혜선님에게 일이란 어떤 의미인가요? "적성에 맞지 않는 일을 오랫동안 할 수 있었던 이유는 '성장' 때문이었어요. '여기서 배울 점이 있는가?', '저 사람한테 배울 점이 있는가?' 그만두고 싶을 때마다 그 2가지 질문을 스스로 했었어요. 가장 많이 배운 건 일하는 태도였어요. 같이 일하는 사람들에게 많이 배웠는데요. 인복이 좋았는지 직장에서 안 좋은 사람들보다는 좋은 사람들을 더 많이 만났어요. 덕분에 오랫동안 버틸 수 있었고 제 인생의 많은 시간을 보냈네요."

마지막으로 '내 일을 지키고 싶은 엄마들'에게 하고 싶은 말이 있나요? "예전에는 무조건 그만두지 말고 버티라고 말했는데 지금은 생각이 좀 달라졌어요. 회사 다니는 게 너무 힘들 때는 쉴 수 있다면 쉬었으면 좋겠어요. 예전에는 회사 나가면 끝이라고 생각했는데 요즘은 창업, 이직 등 여러 기회를 접하는 엄마들을 많이 봐요. 결국은 어디에 삶의 가치를 두고 살 것인가가 중요하다는 생각이 들어요. 회사의 브랜드가 필요하고 회사에서 승승장구하는 게 중요한지, 나의 삶과 회사의 균형을 맞춰서 살아야겠다고 생각하는지, 나는 회사 생활에서 의미를 못 찾으니까 창업을 해야겠다고 생각하는지. 내가 무엇을 좋아하고 어떤 것에 가치를 두고 사는지 정의를 하고 사회생활을 한다면 도움이 될 것 같아요. 저는 이걸 늦게 깨달았거든요. 조금 더 내가 어디에 가치를 두고 사는지 빨리 깨닫는다면 힘 빼고 달릴 수 있는 여건이 되지 않을까요."

Interviewer's Note

"승승장구한 것도 아니고 꾸역꾸역 버텨온 삶인데, 제가 인터뷰 할 자격이 있을까요?" 처음 인터뷰 요청했을 때 혜선님의 답변이었다. 오히려 그랬기에 혜선님의 이야기가 더 궁금했다. 연봉 얼마, 매출 얼마, 일도 육아도 완벽히 해낸 여성 스토리는 이미 많았고 평범한 여성들에게는 너무 먼 이야기였다. "그냥 힘을 좀 빼라고 얘기해요. 둘 다 잘 하는 사람은 없으니까요." 일도 육아도 제대로 못하며 오늘도 멘탈이 탈탈 털린 엄마들에게 혜선님의 현실적인 이야기가 위로가 되기를 바란다.

참고로 인터뷰 이후 혜선님은 책을 냈고 글쓰기 동료들의 글을 모아 유료로 팔았으며 소설 쓰기를 배우고 있다. 100m 달리기가 아니라 마라톤 하듯이. 혜선님은 오늘도 계속 나아가고 있다.

/ 현진

경력 공백 6년? '놀지' 않았습니다

최유진
직장인(승무원·호텔 스태프) 10년,
경력 공백 3년, 파트타임 3년 후 재취업
40대 초반

#경력공백6년 #다양한일 #커리어전환
#재취업성공팁 #프로이직러 #현실언니조언

〈마더티브〉 에디터 인성, 현진과 직장 동료였던 유신님은 경력보유 여성들을 위한 채용 플랫폼 '위커넥트'를 통해 재무회계 담당자로 입사했다. '얘기 좀 하자'며 적극적으로 대시(?) 하던 포스가 남다른, 보통은 아닌 것 같던 언니 최유진. 그에게는 승무원, 호텔 스태프라는 의외의 경력이 있었고 출산·육아로 경력이 중단됐음에도 커리어의 끈을 놓지 않았던 고군분투의 시간이 있었다. 사이다 토크 전문 유진님에게 커리어 위기 대처 방법과 언니의 현실 조언을 들었다.

코로나 때문에 아이 교육과 가정 돌봄 부담도 있었을 것 같고 이직 준비로 바쁘셨을 것 같아요. “퇴사한 지 2개월 정도 됐어요. 그 사이에 구직 활동하면서 면접도 많이 봤어요. 이번 달엔 코로나 확산이 심해져 아이가 밖에 못 나가니 집에 있었는데요. 출근할 회사가 최종 결정돼 더 신나게 놀고 있죠. 퇴사 후에 가장 먼저 면접 봤던 회사인데 근무조건이 안 맞아서 틀어졌었거든요. 그 회사에서 다시 연락이 왔는데 조건이 조율돼서 가기로 했어요.”

와, 잘 됐어요! 축하드려요. 역시 프로이직러(웃음). 유진님은 처음 항공사 승무원으로 일을 시작해 호텔에서 오래 일하셨잖아요. 퇴사 후에도 대학원, 회계사 공부하면서 파트타임으로 꾸준히 일하셨고요. 지금은 회계, 감사 분야로 커리어 전환해 재취업하신 건데요. 우여곡절이 많으셨을 것 같지만 간략하게 커리어 여정을 설명해 주시겠어요? “2003년에 항공사 승무원으로 일을 시작했어요. 외국 나갈 때마다 호텔에 투숙하니까 관심이 많았는데 유명 글로벌 체인 호텔이 국내에 오픈한다고 해 오프닝 멤버로 합류했어요. 처음엔 고객 접점 부서에서 일을 시작했는데 돈을 만지다 보니 회계에 관심이 생겨 학점은행제 통해 회계 공부하고 학점을 이수했어요. 이후 인사부에 요청해 재경팀으로 옮겨 3년 정도 일하면서 미국 회계사 시험도 준비했고요. 이후 다른 호텔 오픈 멤버로 옮겨 4~5년 일하다 1년 육아휴직을 했죠.”

육아휴직 1호
그리고 퇴사

출산하면서 육아휴직하신 거예요? "아뇨. 아이를 낳았을 땐 두 달 반 정도 출산 휴가만 쓰고 복직했고, 3년 후에 육아휴직을 쓴 건데요. 신규 호텔이라 직원 연령대가 젊긴 했지만 호텔 직원의 70%가 여성이었음에도 제가 육아휴직 1호였어요. 당시 여직원 6명이 포함된 TF팀에서 팀장 역할을 했었는데 결혼 준비하는 팀원도 있어서 왜 육아휴직을 못 쓰는지 그런 얘길 많이 했어요. 그런 대화에서 영향을 많이 받았던 것 같아요. 그래서 후배들한테 '내가 육아휴직 낼 거니까, 너희도 내'라면서 잔다르크 마냥 육아 휴직을 했어요(웃음). 역시 뭐든 처음이 어려운 거지 이후부터는 다들 육아휴직했다고 하더라고요. 육아휴직 중에 호텔경영학 석사 하면서 미국 회계사 시험 공부를 하기도 했어요."

와, 육아휴직을 알차게 보내셨네요. 대단해요. 그리고 복직하신 거예요? "복직 못 하고 퇴사했어요. 인사부에서 복직을 권하긴 했는데요. 제가 영등포에서 일했는데 판교 영업팀으로 복직하라는 거예요. 당장 회계팀에 자리가 없어 그렇다고 했지만 사실상 오지 말라는, 나가라는 말처럼 들렸어요. 그래서 퇴사했죠. 당시 인사부장님이 '정말로 복직할 거였다면 3~4개월 전에 컨택했어야 하는 거 아니냐'라고 물어봤는데요. 돌이켜보니 인지상정이더라고요. 사람들이 일하는 조직이니까 6개월 전부터 부서장도 만나보고 조직관리를 했더라면 하는 아쉬움이 있어요. 이후에 동기들이 신규 호텔 생기면서 회계팀에 자리가 났다고, 조금만 더 버티지 그랬냐고 하더라고요. 그런 말 들으니까 더 아쉬웠어요. 남편이 자기였으면 복직 6개월 전에 아이 안고 인사하러 갔었을 것 같다고 하더라고요. 똑같은 사안을 바라보는 남녀 관점의 차이가 있는 것 같아요. 결혼할 때 청첩장 돌리면서도 남편과 관점 차이가 있었는데요. 전 최근 교류한 사람들 위주로 만나 청첩장을 줬는데 남편은 한동안 교류 안 했던 사람들도 다 연락하더라고요. 청첩장도 주고, 오랜만에 다시 만나고 얼마나 좋은 기회냐면서요. 이런 게 소위 말하는 인맥 관리의 힘이라고 생각해요. 나중에 매니지먼트, 리더십 같은 데 영향을 미칠 텐데 대부분 여자들이 잘 못 해서 아쉬운 부분이죠. 내가 그런 성격이 아니더라도 사람을 챙기고 인맥 관리든, 네트워크 관리든 다르게 생각하는 게 필요한 것 같아요."

너무 안타까워요. 육아휴직 1호셨다니까 유진님도 잘 몰라서 그랬던 거 아닐까요? 보통은 조직에서 먼저 경험한 선배가 복직할 때 어떻게 해야 한다고 알려주잖아요. "맞아요. 그래서 그랬던 것 같아요. 괜히 약자라는 느낌에 아쉬운 소리 하기 싫었던 것도 있었고요. 회계 공부했으니 호텔 말고 다른 분야에서 일해보자는 생각도 있어서 더 쉽게 바이바이 했던 것 같기도 해요. 그런데 그 후로 계속 쉬었다는 게 슬프죠."

경력 공백 시간은
절대로 논 게 아니에요

그리고 저희가 만난 직장에 재취업하기까지 6년 정도 시간이 있었는데 그 사이에 엄청 뭘 많이 하셨더라고요. "우선 회계사 시험공부를 1년 더 했어요. 아이가 9시에 어린이집에 가서 오후 3시 반쯤 왔는데 그 사이에 루틴하게 공부했어요. 아이가 집에 와서 놀다가 낮잠을 또 잤는데 같이 누워야 잠을 자서 재우면서 강의 듣기도 했고요. 한쪽 팔로 팔베개해주고 반대쪽 귀에 이어폰 꽂고요. 주말 중 하루는 남편이 아이를 봐줘서 도서관에서 온종일 공부도 하고 학원도 다녔어요.

그렇게 미국 회계사 자격증을 따서 미국에 가고 싶었어요. 적어도 외국에 있는 호텔에 이직해서 회계 일을 하고 싶었죠. 많이 떨어졌는데 연락 온 곳도 있었어요. 그런데 막상 가려고 하니 고위 관리직이 아니니까 집, 아이 교육 모두 제가 준비해야 했어요. 남편은 영어를 못해서 아예 갈 생각도 없었는데 막상 떨어져 살려니 강단 있게 결심을 못하겠더라고요. 결국 포기하고 국내 회사를 알아봤죠.

몇 군데 붙어서 다시 일하긴 했어요. 그런데 야근도 너무 많고 트러블도 생겼죠. 지금 돌이켜보면 직장에서 돌파구를 찾지 못하고 아이 핑계로 도망쳤던 부분도 있었던 것 같아요. 이후로 창업해보려고 창업사관학교도 다니고 아르바이트도 많이 했어요. 재취업하기 직전까지 2년 정도 파트타임으로 일하기도 했고요. 사회로 돌아가고 싶은 생각이 늘 있어서 끊임없이 사부작거린 거죠."

끊임없이 뭔가를 하셨지만 재취업하고 싶은 마음이 계속 있었다면 이 시간이 마냥 편치만은 않으셨을 것 같아요. "마흔 전에는 내 선택이 늘 후회스러웠어요. 그렇지만 지금 돌아보면 아이만 키우던 시간도 대단하다고 봐요. 아이와 하루 종일 볼 비비며 부대낄 수 있는 시간이 얼마나 있겠나 싶기도 하고요. 퇴사를 고민할 때 꿈이 있고 계획이 있다면 잠시 쉬어봐도 좋다고 생각해요.
앞으로 출근할 회사 면접을 27, 29살 분들과 42살인 제가 같이 봤는데요. 회사에서 제가 오게 되면 '굉장한 모험이고 리스크' 라면서도, 제게 기대하는 건 굴곡을 정통으로 맞았던 사람이 집단에서 구심점이 되어주지 않겠냐는 거였어요. 지금도 저처럼 고민하거나 그만두는 여성들이 조직에 분명 많을 테니까요. 경력 보유 여성이 조직에 어필할 수 있는 건 그런 점일 것 같아요. 매일 찡찡대는 아이 다독이고 남편과의 갈등, 내 고뇌를 다스리면서 사람과 상황을 유연하게 다룰 수 있는 엄마들만의 장점이 생기는 거죠. 다시 시작하는 분들의 경력 공백 시간은 절대 논 게 아니에요."

경력이 중단됐던 여성들이 재취업할 때 중요하게 생각해야할 부분이 있을까요? "재취업 준비하면서 자기소개서 쓸 때 슬프더라고요. 그렇지만 또 재취업에서 자소서가 승부수가 될 수 있을 것 같아요. 기존 헤드헌터들은 경력기술서나 이력서만 요청하는데 위커넥트에서는 자기소개서를 필수로 요청하더라고요. 경력 공백 기간 동안의 일은 기존 이력서, 경력기술서만으로는 설명이 안 되니까요. 최종적으로 붙었던 이전 직장은 공부 많이 해서 나름 열심히 자소서 썼어요. 자소서 꼼꼼하게 신경 써서 보는 곳이 좋은 회사인 것 같아요.
지금 이직한 회사는 구인 공고에 있던 자격 요건에 제가 절대 해당되는 사람이 아니었어요. 3년 차 이하를 뽑는 자리였거든요. 근데 너무 해보고 싶어서 자소서를 엄청 열심히 써서 보냈어요. 지금 다시 읽으면 민망하긴 한데 당시엔 절실한 마음으로 썼어요. 첫 문장이 '저는 소위 말하는 경단녀입니다'예요. 보내고 꼭 읽어는 달라고 담당자한테 문자도 보냈죠. 어떤 사람인지 궁금해서 면접에 부른 것 같았어요."

엄마들이 특히 경력 공백 후에 조직에서 일하는 엄마들이 조직에 문제가 있어도 쉽게 못 그만두잖아요. 다시 취업이 될지도 불투명하니까 '애 키우면서 다닐 수 있는 게 어디야' 이러면서요. 그런데 유진님은 어렵게 재취업한 직장을 6개월 만에 그만두셨잖아요. 고민 많이 하시기는 했지만 쉽지 않은 결정이었을 것 같은데 어떤 마음이

셨어요? "오랜 경력 공백 끝에 재취업했던 직장에서 박차고 나올 수 있었던 건 다 겪어봤기 때문이에요. 집에 돈이 많아서가 아니라요(웃음). 경력 공백 기간도 길었고 아르바이트도 굉장히 많이 해 봤잖아요. 바닥을 쳐봤다고 해야 할까요. 일에 있어서는 우여곡절을 많이 겪어본 거죠. 경험이 쌓이고 제가 어떤 것과 맞는지, 안 맞는지 잘 알게 되니까 결단이 빨라지는 시점이 오더라고요. 한 가지 후회되는 건 문제를 해결해 줄 수도 있었던 상사와 빨리 얘기해보지 못한 거요. 너무 혼자 참기만 한 거죠. 내가 나를 가장 잘 안다고 풀어온 방식이 100% 정답은 아닐 수도 있다는 것. 또 하나 배운 거죠. 다음부턴 너무 참지만 말고 도움을 청해볼 것 같아요."

내 삶은 내가 결정해요

엄마가 되기 전, 엄마로 살면서 내 일을 이어가는 게 이렇게 어려울 줄 예상했나요? "진짜 예상 못 했죠. 누구도 알려주지 않잖아요. 임신했을 때 태교 얘기만 하지 출산 후에 어떤지는 얘기 안 하죠. 저는 출산하고 정말 깜짝 놀랐어요. 오로 때문에 기저귀 다시 차고 이런 거 아무도 얘기 안 해줬거든요. 같은 맥락인 것 같아요. 둘째 안 낳는 이유가 첫 아이 출산했을 때 비참하고 속상했던 기억이 있어서이기도 해요. 애 낳고 난 후의 우울감이라든지 이런 걸 아무도 달래

주지 않았죠. 롤모델이 없었어요. 그 누구도 이야기해 주지 않는, 여자들이 엄마가 된 후 알아야 할 이슈에 관해 얘기해줄 롤모델이나 선배가 있으면 좋겠어요."

그럼 엄마로 일하면서 뭐가 가장 힘드셨어요? "9to6로 일하는 회사 다닐 때 오후 7시만 되면 안절부절못했어요. 그때로 돌아간다면 금전적으로 더 챙겨드리면서라도 미안해하지 않았을 것 같아요. 제 월급이 300만 원이라면 아이 봐주시는 분한테 200만 원을 드리는 한이 있더라도요. 친정엄마나 시엄마여서 더 죄송했던 것 같은데요. 전 그래서 후배들한테 친정엄마, 시엄마 찬스 쓰지 말라고 해요. 저도 죄책감 때문에 나중에는 시터님이 아이 돌봐주셨어요. 오히려 시터님이 아이 봐주셨을 때 월급을 드리니까 안 미안했던 것 같아요. 그렇게 해서라도 아이 돌봐주는 분한테 죄책감을 느끼지 않았으면 좋겠어요. 전 그게 가장 힘들었거든요. 일하면서 아이를 돌보는 건 어떤 식으로든 손이 필요해요. 절대 혼자 다 못 하죠. 필요한 손을 죄책감 느끼지 말고 도움받았으면 좋겠어요. 그리고 아이들이 극난적으로 엄마를 필요로 하는 시기는 생각보다 짧거든요. 당사자 엄마는 너무 힘들지만, 딱 그 시기만 넘기면 분명히 편해지는 시기가 와요. 그러니까 너무 죄책감 느끼거나 힘들어하지 말고 도움받으면서 버텼으면 좋겠어요."

엄마가 계속 일할 수 있도록 제도적으로 꼭 개선되거나 필요한 점은 무엇일까요? "직장 어린이집이 더 많이 생겼으면 좋겠어요. 제가 대기업 다니고 싶었던 건 직장 어린이집 때문이었거든요. 저는 그거 무시 못한다고 봐요. 엄마든 아빠든 위층에서 일하는데 애가 1층에서 기다리는 걸 다 알면 집에 조금이라도 더 빨리 가라고 하겠죠. 게다가 건물 안에 입점하면 시각적인 효과도 분명 있을 것 같아요. 미혼 직원들도 지나가면서 보잖아요. 특히 아빠가 등원시키는 모습 보다 보면 자연스럽게 육아 분담 문화가 형성되는 거죠. 또 아이가 기관에 못 가서 돌봄 부담이 엄마에게 쏠리지 않도록 국공립 어린이집도 많이 만들어줘야 하고요. 우선 물리적으로 인프라 기반이 잘 갖춰져야 할 것 같아요."

엄마 전후로 커리어에서 가장 달라진 점은 무엇인가요? "나만 생각하는 부분을 확실히 버리게 됐어요. 엄마가 되기 전엔 나만 생각하고, 나만 잘나가야 한다고 생각했었거든요. 굉장히 자기중심적이었죠. 호텔 다닐 때는 내가 가장 빨리 진급하고, 내가 가장 고연봉이어야 한다고 생각했고, 실제로 퇴사 전까지 그렇게 유지했어요. 그런데 지금은 이런 게 하나도 안 중요하더라고요. 같이 면접 본 후보자의 합격을 빌어줄 정도예요. 좀 더 멀리, 크게 바라보게 된 변화가 있었어요. 전처럼 저한테만 집중하면 당장 5년 후, 10년 후 플랜을 계획할 텐데 아이의 미래를 생각하면 50년, 60년을 내다보게 되잖아요.

나만이 아니라 환경 문제 등 아이들이 살아갈 미래까지 멀리, 다양하게 생각하게 된 거죠. 머리가 커졌어요."

다양한 일을 겪어보셨잖아요. 지금 유진님에게 일이란 무엇인가요? "경력이 중단되기 전에는 보이는 것들이 중요했는데요. 지금은 사람이 더 중요해요. 전에는 연봉, 진급이 중요하다고 생각해서 속도전으로 덤볐던 것 같은데요. 지금은 일을 더는 과거 기준으로 볼 수 없어요. 일을 쉬지 않았던 제 또래는 지금 팀장, 부장 이렇거든요. 어떤 지인은 회사 임원도 됐는데 한편으론 슬프기도 하지만 저는 이제 돈이나 연봉을 논하기에는 너무 멀리 온 거죠.
그래서 지금은 일보다는 사람인 것 같아요. 연봉이나 직급 같은 것보다는 퀄리티 있는 교류의 장이라는 조건이 더 중요해요. 최근 이직한 회사는 전보다 주도적으로 일할 수 있고 위아래를 연결하는 중간자로 역할을 하게 돼서 의미가 있어요. 내가 의미를 찾을 수 있고 좋은 사람들과 대화 나누며 교류할 수 있는 회사가 좋아요."

내 일을 지키고 싶은 엄마들에게 하고 싶은 말이 있다면요? "제가 말씀드릴 자격은 없는 것 같지만 일단 첫 번째로 제가 스스로에게 하는 말을 하고 싶어요. '다 괜찮다'라고. 다 괜찮아요. 저도 이렇게 살아보니까 특히 한국 사회에서 엄마, 게다가 워킹맘 아이들 달고 살기가 굉장히 어렵더라고요. 엄마로 일하면서 느꼈던 힘듦, 번뇌, 고민… 너무 힘들었거든요. '나 애 엄마잖아. 나 완전 힘들어.' 이런 말 충분히 할 수 있다고 생각해요. 일? 그만둬도 돼요. 다 괜찮아요. 근데 플랜은 있어야 돼요. 무작정 그만두시는 건 절대 안 되고. 저도 돌아, 돌아왔지만 어쨌든 제 꿈이 있었고, 계획이 있었어요. 그렇지만 그 모든 꾸러미 속의 마지막 방점은 '다 괜찮다'예요.

두 번째는 내가 어떻게 살지를 내가 결정하면 좋을 것 같아요. 내 삶을 결정하는 사람은 남편도 아니고, 특히 친정엄마랑 매여있는 분들도 굉장히 많은데 엄마도 아니에요. 결국 우리가 힘든 게 주체적으로 살기 어려워서 힘든 것 같거든요. 남편 생각, 아이 생각, 누구 생각하지 말고 내가 하고 싶은 거 하고 사는 게 중요해요. 저도 남편 생각, 아이 생각하다가 외국 못 나간 거 후회하거든요. 그냥 저질러 볼 걸 그랬어요."

Interviewer's Note

둘째 아이 육아휴직이 끝나고 이직으로 복귀한 새로운 직장은 어렵고 낯설었다. 특히 두 아이 엄마가 된 후 처음으로 풀타임 근무를 하던 때라 퇴사, 창업, 이직 고민이 무한 반복이었다. 그때 유진님을 만났다. 유진님과의 대화는 늘 위로였다. 항상 괜찮다고, 무엇을 해도 괜찮다고 지지하고 공감해 주는 사람이었다. 그가 확신에 찬 지지를 해줄 수 있었던 건 수많은 풍파를 겪은 시간에서 나온 힘일 테다. 생각지 못한 다양한 경험을 가진 유진님은 꺼내도 꺼내도 끝이 없는 화수분 같았다. 아이를 다른 손에 맡기고 일에 몰두해본 적도 있고 온전히 아이에게 품을 내주었던 시간도 있었다. 그 모든 시간을 겪어낸 유진님의 이야기는 나에게, 그리고 어디선가 휘청이고 있을 엄마에게 위로이자 길이 될 것이다. "바닥을 쳐봤다"라는 말을 웃으면서 담담하게 할 수 있는 사람. 유진님에게 꽃길 걸을 기회가 더 많길 바란다.

/ 인성

5년 공백 딛고 이전 경력 이어나가기

안자영
아동상담 경력 5년, 경력 공백 5년 후 재취업,
상담연구원 2년
30대 후반
자녀 2명(7세, 5세)

#경력공백5년 #엄마상담사 #리모트워크
#재택근무 #일과삶의경계 #스타트업적응기

그로잉맘의 육아분석팀장인 자영님의 인터뷰 신청 메일을 받았을 때 "결국, 매우 열심히 살았음에도 만족하지 못하는 하루하루가 계속되는 것이 요즘 저의 고민이에요"라는 문장에서 멈칫했다. 고단한 하루의 끝에 밀려오는 현타로 마무리하는 게 나의 일상이기에 더욱 궁금했다. 그럼에도 우리에게 일은 어떤 의미일까. 또 일의 지속가능성을 확보하기 위해 필요한 건 무엇일까. 공백을 딛고 이전의 경력을 살리고 싶은 수많은 경력보유 여성들에게 꼭 필요한 레퍼런스가 되길 바라며 질문을 이어갔다.

육아 스트레스 정점에서 돌파구로 찾은 일

2014년 출산하고 2019년에 복귀하기까지 5년이라는 공백이 있어요. 비슷한 케이스로 다시 일하고는 싶은데 막막한 사례도 많을 것 같아요. "아이 둘이 두 살 터울이에요. 이제 좀 편안해질까 할 때 둘째가 생겨 자연스레 경력 공백이 길어졌어요. 일을 다시 해야겠다고 결심한 지점이 아이러니한데요. 둘째가 8개월에 첫발을 떼고 10개월에 이미 잘 걸어 돌아다녔어요. 활발하고 적극적인 아이인 거죠. 첫째는 제가 많이 챙겨줬던 터라 엄마 손이 많이 탄 아이고, 둘째는 다칠까 봐 걱정되어 눈을 떼지 못하다 보니 아이 둘 보는 것이 너무 힘들었어요.

육아로 일하는 스트레스가 턱까지 차올랐을 때, '일해야겠다. 다른 곳에 에너지를 쏟아야겠다. 내가 다시 할 수 있는 일이 뭐가 있을까?' 그런 생각을 하며 구직 사이트를 다시 열어보니 아이를 낳기 전이랑 업무환경이 크게 달라지지 않았더라고요. 출퇴근이 그려지는 상황에서 아이를 어떻게 맡겨야 하나 머뭇거리는 시기를 보냈지만, 꾸준히 필드 상황이 어떤지는 계속 엿보기를 했어요. 대학원 동기들의 동향이라든지 분위기, 구인·구직 사이트에 어떤 일자리, 페이는 얼마 이런 식의 정보를 보면서 일을 할법한 상황인가를 틈틈이 살폈어요."

어떻게 일을 다시 시작하시게 되었나요? "대학원에서 놀이치료 전공으로 졸업하고 관련 경력을 계속 쌓으면서 일을 시작했어요. 큰아이 낳기 전 마지막 경력이 한국청소년상담복지개발원의 사이버 상담원이었는데 지금 회사 대표님과 같이 일했던 시기가 있어요. 퇴사하고 아이를 키우다 제가 사는 지역 맘카페에서 그로잉맘 행사 소식을 접하게 되었고 마침 인연이 닿아 그로잉맘에 합류하게 되었어요. 인연을 쉽게 생각하면 안 될 것 같아요. 저는 온라인 상담을 해본 사람이기 때문에 그 분야에 부담이 없다는 점도 메리트가 아니었을까 해요. 온라인 상담 경험이 있으신 분들이 드물기도 하고 막연하게 생각하는 경우도 있거든요. 마음에 부담이 된다고 해야 하나. 온라인 상담은 전부 기록으로 남기 때문에 또 다른 부담과 한계를 느낄 수 있어요."

상호작용이 주요 키워드라 할 수 있겠어요. 팀장으로 다른 상담사분들도 관리하고 온라인으로 비대면, 비접촉으로 상담이 이루어지다 보니 특히 어려우신 점이 있을 것 같아요. "가장 어려운 건 안 해본 일을 해야 한다는 부분이죠. 대학원에서 놀이치료사로 훈련을 받을 때는 놀이치료사로서 훈련을 받는 거지 다른 관리에 대한 부분은 배우지 않아요. 상담 분야뿐만 아니라 다른 분야도 마찬가지예요. 대학이나 대학원에서는 학문적으로만 다루고 소통하는 방법은 배우지 않으니까. 그런 면에서 저도 지금 어떻게 해야 하나 고민도 많이 생기는 지점이에요."

아이를 키우면서 일하는 워라블은 어떤지 궁금해요. "현재 상황을 생각하면 다른 사람보다는 좀 나은 것 같아요. 9시에 출근해서 6시 퇴근하자마자 아이를 어떻게 할까 고민하는 건 없으니까요. 애가 하나랑 둘은 많이 차이 나다 보니 손이 많이 가서 근무 시간을 많이 조율했어요. 낮에 아이들 어린이집에 가 있는 동안 임팩트 있게 일을 후다닥 해치우면서 필요한 집안일도 간단하게 하고, 하원하고 오면 아이들 위주로 돌보면서 집안일을 해결하는 편이에요.
업무 시간이 아무래도 부족해서 새벽 시간을 많이 활용해요. 아이들 재울 때 같이 자고 새벽에 일어나서 다시 일을 시작해요. 그날그날 업무 부담감에 따라 다른데, 업무가 너무 많을 때는 3시에 일어나서 일할 때도 있어요. 혹시나 마치지 못할까 새벽에 하기에 부담이 될 땐 밤에 쭉 이어서 일할 때도 있고 늦어도 새벽 5시 이전엔 일어나는 것 같아요. 그 시간에는 아무도 없이 혼자 일을 하니까 다른 직원들하고도 소통하거나 카톡 울림도 없어 혼자 집중해야 하는 업무들을 보통 새벽에 몰아서 하죠. 팀원들이나 다른 사람들이랑 의논해서 상의해야 하는 건 낮에 진행하고요."

원래도 새벽형 인간이세요? "전혀 아니에요."

그럼 언제 쉬세요? "딱히 쉬는 거 없이 돌아가는 거죠."

코로나가 육아에 미치는 영향

코로나로 더욱 육아 부담이 증가한 요즘 어떻게 지내고 계시는지 근황을 알려주세요. "뭐 하나 시작하면 끝장을 봐야 하는 성격이라 육아가 더 힘들었던 것 같아요. 인서울 대학을 졸업하고 대학원 학위에, 각종 자격증 등. 노력하면 된다는 생각을 가지고 자신감 있게 살던 사람인데 아이를 낳고 보니 아이는 내 뜻대로 움직여주지 않고. 나는 너무 서툰 엄마일 뿐이고. 새로운 패러다임으로 다가오는 거예요. 이전에는 노력하면, 악으로 깡으로 하면 된다고 생각했는데 엄마가 된 이후로는 불가능의 영역에 들어간 거죠."

엄마가 일하려면 주변 사람들 서포트가 중요하다는 생각이 들어요. "맞아요. 다행히 남편 회사가 집이랑 가깝기도 하고 칼퇴근하다 보니 저녁엔 남편이 많이 도와줘요. 시가도 집에서 가까워 급할 때는 아이들을 봐주시기도 하고 도움받을 수 있는 부분이 많은 편인데요. 사회복지학을 공부하면서 개개인을 넘어 사회 전체의 노력이 중요하다는 것을 깨달았어요. 결혼 전엔 지역사회 관련 아동보호 전문기관이나 성폭력 피해자 지원기관에서 일하다 보니 아이를 부모에게 또 엄마에게 일임하기보다는 마을이, 사회가 같이 키워야 한다는 생각을 더 하게 된 것 같아요."

얼마 전에 회사 상담사 채용 공고에 지원자가 많이 몰렸다는 얘기를 들었어요. 기본적으로 석사 이상 상담사 경력이 많은 분이 지원해 주시잖아요. 그분들이 얼마나 간절하게 일을 원하는지 더 감정이입 될 것 같아요. "사실 그로잉맘이라는 회사가 되게 오래되고 많이 알려진 대기업이나 중견기업은 아니잖아요. 채용할 때 지원자 수가 이전에 비해 배로 몰려 엄청 놀랐어요. 작년에도 예상보다 많다고 생각했는데 올해는 더 많이 몰렸는데요. 한편으로는 우리 사회 구조가 엄마가 일할 만한 자리가 없어서 더 몰린 게 아닐까 하는 생각이 들어 안타깝죠. 저도 엄마이다 보니 그런 지원자 입장을 더 이해할 수밖에 없어요. 정말 여기라면 그래도 맘 편히 일할 수 있지 않을까 그런 기대감. 이심전심 느낌으로 다가오는 거죠."

작년에 비해 몇 배수 정도요? "3배 가까이 지원자가 몰렸어요. 예상보다 많은 인원을 뽑기는 했는데요. 누구를 뽑아야 하는가도 고민이지만 누구를 떨어뜨려야 하냐가 고민이 더 커요. 한편으로는 저희가 기존에 없는 새로운 모델이다 보니 지원하신 분들이 새로운 방식의 회사와 새로운 상담 시스템에 잘 적응할 수 있을까? 기대하신 것과 실제 모습이 얼마나 맞을까 하는 고민도 있어요."

아무래도 코로나 영향이 있을까요? 아이랑 같이 일할 수 있는 곳을 찾다 보니까요. "없지 않아 영향이 있을 것 같아요. 코로나 때문에 아이는 데리고 있어야 하고, 육아는 해야 하고, 어디 나가서 일하기는 부담이 되고."

코로나19로 다른 오프라인 상담센터도 운영을 못 하는 상황인가요? "저도 알음알음 들은 정도지만 이용자 수의 양극화가 심하다고 해요. 원래 인기 많은 소아정신과 부설 센터들은 대기인원이 많아 큰 차이를 못 느낀다고 해요. 복지관 같은 곳은 아예 문을 닫아야 했으니 한두 달 쉬고 다시 시작하려면 신규 아동 채워지는 속도가 더디니까 전체적으로 저조하죠. 센터마다 기관 특성마다 편차가 많다고 해요."

재택근무가 코로나 때문에 많이 늘어나면서 일이 오히려 과중해지는 느낌이 들어요. 100% 리모트 워크로 일하시나요? "재택근무라는 말보다 유연 근무라는 표현을 선호해요. 제 경우에는 대부분의 업무를 가정에서 처리할 수 있는 시스템이 잡혀있어 코로나 전부터 주로 화상회의를 해왔어요. 그럼에도 꼭 만나서 해야 하는 오프라인 회의가 있었는데 코로나 이후로 그 비율이 더 줄어든 거죠.
코로나 전에는 재택근무를 한다고 했을 때 사회적 시선이 불편했어요. 어설프게 아는 동네 어르신들을 만났을 때, 그분들 입장에서는 제가 회사를 다닌다고 하는데 낮에도 동네에 돌아다니는 게 이상한 거죠. '집에서 애도 보고 일도 하고 좋네'라고 말씀하실 때면, 쉽게 일 한다고 생각하는 느낌을 받았어요. 동네 생선가게 아저씨도 '나도 그렇게 일하고 싶다'고 하시더라고요.
저는 아이도 보고 일도 하기 위해 잠을 쪼개가며 일하는데 편하게 일 한다는 식으로 접근하시는 분들이 많았어요. 코로나 이후로 재택근무의 양면이 드러나고 있잖아요. 그래서 위로가 되는 부분이 있어요."

유연하게 일하는 방식이 뉴노멀이 될 것 같아요. 협업할 때의 효율적인 팁이 궁금해요. "팀마다 일하는 방식이 달라서 각 팀마다 효율적으로 일하는 방식을 짜는 편이에요. 상담팀에서는 그로잉맘의 관리자 시스템을 많이 활용하는데요. 논의하고 싶은 사례가 있으면 어느 파트의 어떤 사례, 이런 식으로 해당 사례를 언급하면서 각자 내용을 확인해요. 이후 메신저나 전화로 논의를 하고요. 다른 팀의 경우 노션을 많이 쓰는 걸 보면서 팀마다 특성에 맞춰 툴을 사용한다는 걸 발견해요.
다른 파트너 상담사 선생님들은 아이 낮잠 시간과 밤에 업무를 많이 해서 그때 의사소통을 많이 하는데요. 저는 낮 시간 외에 주로 새벽에 일하는 편이라 밤에 일하는 선생님들이 제가 깰까 봐 연락하는 걸 조심스러워 하시더라고요. 그래서 선생님들께 밤 늦게 업무 관련 메시지를 보내주시면, 저는 새벽에 확인해서 아침에 답변을 드릴테니 언제든 메시지를 남겨 달라고 말씀드려요. 서로의 업무 가능 시간을 고려해서 의사소통 룰을 정하는 것이 중요해요."

엄마에게도 on & off 스위치가 필요해

일과 삶이 분리되긴 어렵지만, 나만의 생활 패턴이나 영역을 분리하는 방법이 있을까요? "장난감 방이 있어도 아이들이 장난감을 거실로 가지고 나와서 놀다 보니 거실 한 쪽에 책상을 두고 아이들을 보며 일하는 상황이에요. 올 1~2월부터 책상을 거실에 두기 시작했는데 책상에 앉아 있으면 아이들이 엄마가 일하는 시간이구나 인식이 생겨서 어느 정도 분리가 되기 시작했어요.
모니터를 켰을 때와 껐을 때의 모드 전환을 아이들도 의식적으로 받아들이기 시작했고요. 일찍 자고 일찍 일어나는 패턴으로 바뀌다 보니 주말에도 새벽에 일어나요. 그럴 때는 의식적으로 책을 보려고 해요. 컴퓨터를 켜도 유튜브 영상을 보거나 평소에 검색하고 싶던 걸 하면서 주말 새벽 시간은 제 시간으로 활용하려고 해요."

육아 상담이지만 엄마들 마음을 어루만져주는 영역이라 생각해요. 각자 상담의 결도 고민도 다르겠지만 상담을 하면서 꼭 전달하

는 메시지가 있나요? "상담을 지속하다 보면 엄마의 개인적인 이야기를 섞어서 말씀하시기도 해요. 같은 엄마이자 상담사로서 '엄마를 먼저 돌보는 게 우선이다. 엄마가 충전되고 에너지가 있어야 아이도 돌볼 여유가 생기고 아이에게도 그 긍정적인 에너지가 전해진다'고 말씀드려요. 엄마가 너무 에너지가 없을 때는 아이 돌보기 전에 먼저 엄마부터 돌보라는 말씀을 드리기도 해요.
엄마가 하루를 바쁘게 보내다 보면 자기를 돌볼 여유가 없잖아요. 식탁에 꽃 한 송이 꽂아놓는 것, 좋아하는 음악 듣는 것, 설거지하면서 좋아하는 예능 프로그램 10분짜리 보는 것. 사소한 팁들을 몇 가지 제시하면서 이 중에 하나라도 본인이랑 맞는 거 해보시라고 말씀드리는 편이에요."

자영님에게 일이란 무엇인가요? "내 이름으로 생활하는 시간이라고 생각해요. 아이들을 돌볼 때는 엄마라는 이름이 굉장히 강하죠. 얼마 전에 아이들과 얘기를 나누다가 "엄마 이름은 안자영이야." 라고 하니 저희 둘째가 "안자영 아니야! 우리 엄마야!" 그러는 거예요. 둘째한테는 제 이름이 안자영이라는 게 와 닿지도 않고 상상할 수도 없는 거죠. 집에 있을 때는 엄마라는 이름으로, 집안일을 하는 주부로 기능한다면, 일할 때는 내 영역에서 내 이름을 가지고 성과를 내는 거죠."

일하는 엄마로 사는 게 이렇게 힘들 줄 알았나요? "저는 막연했던 것 같아요. '엄마가 아이를 돌보며 일 하면 힘들겠지' 머리로 이해하는 정도였어요. 24시간 아이와 함께 지내며 그 힘듦이 생활에 밀착해 다가오니까 몸소 깨달은 거죠."

내 일을 지키고 싶은 엄마들에게 전하고 싶은 메시지가 있나요? "일과 육아를 병행하면서 어려움은 늘 존재해요. 어느 순간부터 늘 사표를 품고 있다가 사표를 꺼내기 직전의 순간들이 오는 것 같아요. '일해, 말아', '나만 일하지 않으면 되는데'라는 생각이 드는 순간은 너무 많죠. 마치 내 욕심 때문에 일을 지속한다는 인상이 들 때가 있어요. 내가 일을 하지 않으면, 아이를 맡기려 여기저기 부탁하지 않아도 되고, 집안도 어수선하지 않을 거고, 시간을 벌기 위해 역으로 지출해야 하는 배달음식 비용도 줄일 수 있고. '너만 일을 포기하면 모두가 편해진다'는 이야기도 많이 듣잖아요.
저는 그런 것들을 개인이 혼자 해결하려고 하지 말고 가족이나 사회가 같이 해결해야 할 부분이라 생각해요. 너무 혼자 책임지고 혼자 떠안지 않았으면 좋겠다 말하고 싶어요. 저도 일을 할까 말까 고민되는 지점에서 남편이 많이 지지를 해줬거든요. '내가 아무래도 일을 하면 아이들한테 소홀한 부분이 있지 않을까', '지금 컨디션으로 유지하지 못하는 부분 있지 않을까' 고민하면 남편은 '물론 그럴 수 있지. 하지만 부정적인 시각이 아니라 이런저런 방법을 써서 채워나가자' 이런 식의 다른 방법 제안을 해서 많이 도움 되었어요.
시어머니도 '네가 일 때문에 바쁘면 내가 애들 봐주겠다'고 말씀하시고요. 주변의 도움이 있기 때문에 저도 조금 편하게 일을 하고 있다는 생각이 들어요. 친정이나 시가의 도움을 못 받는 경우라도 보조양육자와 육아 부담을 나눌 수 있는 방법을 찾는다면 가능하지 않을까 생각해요."

계속 일하고 싶은 엄마들을 위해 사회적, 제도적으로 개선되었으면 하는 점은 무엇일까요? "아이에게 문제가 생겼을 때 0순위로 엄마를 찾지 않았으면 좋겠어요. 한국 사회에서는 아이한테 문제가 생기면 무조건 엄마가 먼저 봐야 하는 상황이잖아요. 엄마가 본인의 모든 것을 접어 두고 아이를 돌봐야 하는 분위기. 감사하게도 저희 회사에서는 아이가 갑작스럽게 아프거나 다른 일이 생기면 양해를 구하고 업무를 조절할 수 있어요. 어찌되었건 엄마에게 아이 돌봄의 비중이 큰 것은 안타까운 현실인 것 같아요.
주변 엄마들 이야기를 들어보면 코로나가 계속되면 일을 해야 하나 말아야 하나 고민이 커요. 코로나로 가정보육을 하게 되면서 일과 육아를 함께 하는 것에 대한 부담이 커지는 것 같아요. 그런 상황에서 아이를 돌봐야 하는 사람은 아빠보다 엄마일 가능성이 높아요. 상황이 이러니 일하는 엄마들의 고민이 많아지게 되죠. 사회 분위기 자체가 아이한테 무슨 일 있을 때 엄마가 0순위가 아니라 1순위 정도로 내려갔으면, '무조건 엄마' 이런 개념이 사라졌으면 좋겠어요. 보육 면에서도 아이를 믿고 맡길 곳이 더 많아져야 한다고 생각해요. 저는 구립 어린이집에 아이들 보내고 있어서 상황이 좋은 편이에요. 주변을 보면 비교적 일찍 데리고 오는데도 어린이집 눈치가 보인다는 고충을 토로하세요. 제한적인 보육 환경이 지금의 현주소라면, 편안하게 아이 맡길 수 있는 환경이 마련되었으면 좋겠어요."

Interviewer's Note

같은 엄마이자 상담가로서 엄마를 먼저 돌보는 게 우선이라는 자영님의 이야기를 들으며 안도의 한숨이 터져 나왔다. "집에서 일하면 편하고 좋겠어요"라는 말은 농담으로 던지면 안 되는 말로 인식되었으면 좋겠다. 일과 삶의 영역이 공존한다는 건 출퇴근 없는 일의 연속이라는 뜻이기도 하다. 출구가 없는 방 탈출 게임처럼 계속해서 해야 할 일들이 쏟아진다. 육아가 엄마 혼자의 몫이 아니라 가족과 또 사회가 같이 해결해야 하는 문제라는 점도 누구보다 공감한다.

코로나 시대에 엄마에게 돌아가는 돌봄의 부담은 배로 커졌건만 누구도 엄마를 챙기지 않는다. 엄마로 감내해야 하는 이 모든 일이 그저 당연한 '엄마니까'라는 프레임에 갇히지 않기를 바란다. 엄마도 때로는 엄마를 최우선으로 먼저 고려하고 스스로를 챙겨야 한다. 더 넓게 보면 그게 아이를, 나아가 내 가족을 지키는 길이다. 가족 구성원을 넘어 사회적으로 바뀌어야 하는 구조에 대해 우리는 계속해서 목소리를 내어야 한다. 그런 목소리들이 쌓여 나가면 훗날 지금의 아이들이 살아갈 세상은 조금 더 나은 환경이 되리라.

/ 유미

완벽하진 않지만 전처럼 지옥은 아니에요

김우영
직장인(UX디자이너) 10년, 일러스트레이터 작가
30대 후반
자녀 1명(7세)

#일과_엄마_사이 #직장인과_예술가_사이
#사이드프로젝트 #일러스트레이터 #밀키베이비

'밀키베이비'로 잘 알려진 일러스트레이터 작가 우영님에게 인터뷰 신청 메일을 받은 건 의외였다. 안정적인 직장에 다니면서 사이드 프로젝트도 성공적으로 해나가고 있다고 생각했는데 그에게 무슨 사연이 있을까 궁금했다. 내 일을 주도적으로 찾아 나아가던 우영님은 일·육아 밸런스가 무너졌던 '지옥'을 지나 이제는 정말로 자신이 원하는 '내 일'에 대한 고민을 이어가고 있었다.

유튜브에서 학과장님까지 찾아가서 전공 바꾼 이야기, 전공과 다른 일(디자인)로 커리어를 시작한 이야기, '카카오'에서 일하게 된 과정 등 다사다난 스토리 흥미롭게 봤어요. 적극적으로 내가 하고 싶은 일을 찾아서 하시는 것 같은데요. 지난 커리어 여정을 얘기해주시겠어요? "대학 때 전공을 바꿔서 영상학과로 전과했어요. 그림을 좋아해서 대학 다닐 때부터 블로그에 일러스트를 올리곤 했는데요. 신기하게 의뢰가 들어오더라고요. 졸업 후 두 가지 진로를 생각했어요. 영상을 계속 할 것인지 그림을 할 것인지. 당시 IT 붐이 일면서 디자인 쪽 채용이 많았어요. 프리랜서로 디자인 포트폴리오를 쌓아 스타트업에 디자이너로 취직했죠. UX디자인이라는 개념도 없던 때인데 앱, 모바일 디자인을 하게 됐고 회사가 카카오로 인수합병되면서 카카오 직원이 됐죠. 카카오 스토리, 택시 등 큰 프로젝트를 하면서 UX 디자이너 커리어를 쌓았고요. 회사 다니면서 결혼도 하고 출산도 했어요. 출산했을 때 출산휴가 3개월, 육아휴직 3개월 붙여서 6개월 쉬고 복직을 했는데 현타가 왔죠."

막연했던 일과 육아…
'지옥' 지나 지금은

어떤 현타를 경험하셨나요? "막연하게 일하면서 육아도 할 수 있겠지 했는데요. 현실적으로 부딪히는 일이 많더라고요. 운 좋게 조부모님이 도와주신다고 해서 가까운 데로 이사 갔는데 직장이랑 너무 멀었어요. 통근하는 데만 하루 3~4시간을 썼어요. 아이도 어렸으니까 정신적으로, 육체적으로 너무 지치더라고요. 저에게는 출산이 굉장히 큰 이벤트, 사건이었어요. 처음엔 몰랐는데 출산 이후 1년 동안 충격이 서서히 오더라고요. 저는 결혼이나 출산에 대해서 심각하게 생각해본 적이 없었어요. 지식이나 정보도 거의 없었죠. 제 성격이 고민 많이 하는 스타일도 아니거든요. '육아? 어떻게든 하면 되겠지' 정도로만 생각했던 거죠."

맞아요. 육아는 서서히 어려움이 오더라고요. 그런 게 쌓이다 보면 '이렇게 힘들다고 왜 아무도 얘기 안 해준 거야' 하면서 약간 억울해지기도 하고요. 카카오에서 퇴사하셨다고 들었는데 그런 어려움 때문이었나요? "아이 2~3살 무렵 퇴사했는데요. 통근 거리가 멀어서 몸도 힘들고 아이가 어려서 자괴감도 너무 컸죠. 제 경우에는 육아도, 일도 100% 할 수 없다는 자괴감이 제일 컸던 것 같아요. 아이한테 잘해주고 싶은데 못하는 미안함과 일에서도 육아 때문에 제한되는 것들을 거의 매일 겪었기 때문에 이렇게 지내는 게 행복하지 않다는 판단이 들었어요.
업무에 대한 불만족도 있었어요. 회사 디자인 업무는 프로젝트 달성을 위한 것이지 제 개인적인 감정이나 일상적으로 느끼는 생각을 담을 수는 없었거든요. 그런 걸 표출할 수 있는 창구가 필요했고 갈증

이 있어 긴 시간 블로그만 했는데 출산을 계기로 하고 싶은 말이 더 많아졌어요. 새롭게 느끼는 것도, 부조리한 것도 많았어요. 이런 걸 본격적으로 생각하게 되면서 내 것, 내 콘텐츠를 갖고 싶다는 생각이 강해졌고요. 그렇게 일러스트를 그리기 시작한 게 '밀키베이비'로 발전한 거예요. 결정적으로 퇴사하게 된 계기는 개인적으로 진행한 프로젝트로 한글 학습 서비스를 만들어 공모전에 냈는데 상을 받은 거예요. 그래서 이걸 서비스로 키워볼까 싶었어요.
일, 사이드 프로젝트, 창업... 여러 가지 하고 싶은 게 많은데 물리적으로 컨트롤 할 수 없는 상황들이 이어지는 게 싫었어요. 육아로 많이 지친 상태여서 정신도 없었고요. 이런 와중에 많은 걸 다 할 수 없어서 내가 컨트롤 할 수 있는 상황을 만들어보자는 심정으로 퇴사했어요."

굉장히 공감돼요. 하고 싶은 건 많은데 물리적으로 매이니까 자꾸 아이들 탓하게 되고 자책하게 되더라고요. 그럼 이후에 창업을 하신 거예요? "창업에 대해 배워야겠다 싶어서 구글캠퍼스에서 하는 부모를 위한 창업 교육 프로그램 '엄마를 위한 캠퍼스' 3기를 수료했어요. 그걸 듣고 알게 됐죠. 스케일이 큰 창업을 하려면 육아를 포기해야 한다는 걸. 선택의 갈림길에 섰어요. 창업할 것인가, 아니면 이미 조그맣게 시작했던 콘텐츠 메이커가 될 것인가. 어느 쪽이든 다 리스크가 있고 시간과 노력이 필요하니 선택과 집중을 해야 했는데 저는 육아도 잘하고 싶었고, 당시에 팀 빌딩까지 할 여유가 없어서 '밀키베이비'를 조금 더 본격적으로 하면서 콘텐츠 메이커가 되기로 결심했어요. 콘텐츠를 본격적으로 하게 되면 쌓는 데 시간이 오래 걸리니까 언제까지일지 알 수 없는 긴 시간 동안 그냥 있을 순 없겠더라고요. 다행히 퇴사 후 여러 회사에서 제안을 받았는데요. 그중에서 재택근무와 유연근무가 가능한 회사를 선택해 재취업했어요. 그렇게 커리어도 이어가고 제 콘텐츠도 만들며 지금까지 왔어요."

그럼 재취업을 하신 거군요. 지금도 직장 생활하고 계신데 자괴감은 없나요? "예전 회사 다닐 때 자괴감이 컸던 건 아이가 모든 상황에서 엄마의 도움이 필요한 연령이었기 때문인 것 같아요. 지금은 아이가 7살이에요. 웬만한 건 혼자 할 수 있고 또 계속 성장하고 있어서 제가 시간적 여유를 갖게 됐어요. 이전 회사는 10to7 근무였는데 퇴근하고 먼 길을 달려 집에 오면 밤 9시니까 '이렇게 사는 게 맞나' 그런 생각이 많이 들었죠. 그런데 지금은 5시 퇴근해서 하원하고 같이 저녁을 먹어요. 이런 변화들 때문에 시간이 지나면서 자괴감이 상쇄되더라고요. 유연하게 근무할 수 있는 환경을 찾는 것도 중요하고, 시간이 약이 되기도 해요. 지금도 일-가정 양립이 완벽한 건 아니지만 전처럼 지옥은 아니에요. 그런데 초등학교 들어가면 또 쓰나미가 온다고 하더라고요. 대비를 잘 해야겠어요."

엄마가 그리는 엄마 이야기, 사이드 프로젝트 '밀키베이비'

나름대로 적성에 맞는 일을 업으로 삼고 탄탄한 직장에 다니셨는데 '밀키베이비' 웹툰을 시작하게 된 계기와 이유도 듣고 싶어요. "'밀키베이비'를 2016년쯤 시작했는데 처음부터 육아툰을 해야겠다는 생각은 아니었어요. 당시엔 아빠들이 하는 육아툰이 대세였어요. 재미있게 보면서도 '왜 엄마들이 이야기하는 육아툰은 없을까'라는 생각이 들었죠. 엄마들의 스토리를 찾기가 어려워 나라도 해야겠다는 생각이 들었어요. 엄마가 엄마 입으로 심경을 그대로 이야기하고 싶었어요. 저랑 완전히 똑같지는 않지만 제 생각을 담을 수 있게 구성하려고 가족 형태의 캐릭터를 만들었고요. 육아 에피소드도 있지만 엄마를 주체로 삼아 이야기하고 싶었던 게 더 컸고 그런 방향으로 연재를 하고 있어요."

<마더티브>, <포포포 매거진>이랑 맥락이 비슷한 것 같아요. 엄마가 되니 나는 없어지는 것 같아 엄마가 주체가 되는 이야기를 해보자며 만들었거든요. 엄마로서 콘텐츠를 만들게 된 계기가 비슷한 거 같아요. "엄마가 엄마 목소리를 내지 않으면 아무도 대변해주지 않기 때문에 더 많이 이야기를 해야 하는 것 같아요."

'밀키베이비' 인스타그램, 유튜브, 블로그, 브런치까지 여러 SNS 채널을 운영하고 계시는데요. 아마 다른 작업도 하실 것 같고요. 풀타임으로 직장도 다니시는데 어떻게 가능한가요? 24시간을 어떻게 쓰고 계시는지 궁금해요. 잠은 주무시나요? "채널이 여러 개인 것 같은데 사실은 원소스 콘텐츠를 여러 채널에 발행하는 것뿐이에요. 많이 발행하는 것처럼 보이지만 사실은 하나죠."

같은 내용 콘텐츠라도 여러 채널에 발행하는 게 보통 일은 아니더라고요. "그렇죠. 플랫폼 성격들이 달라서. 그렇지만 다양한 독자들이 볼 수 있게 하려면 제가 조금 더 노력해야 하는 것 같아요. 저도 시간이 없기는 마찬가지인데 아침형 인간이에요. 보통 빠르면 새벽 5시, 늦어도 6시에 일어나서 아이 깨기 전까지 집중해서 작업해요. 그 시간에 못 끝내면 대중교통 타고 다니면서 콘텐츠 기획하거나 10분이라도 틈이 생기면 쪼개 써요. 그런 식으로 짧은 시간에 집중하면서 시간을 저축해서 쓰는 편이에요. 저는 고민을 별로 안 하는 편이어서 이렇게 하면 어떨까 고민할 시간에 바로 행동을 해요. 그런 면이 시간 단축에 도움이 되는 것 같아요."

역시 엄마가 뭔가 하려면 틈틈이 할 수밖에 없네요. "절망할 때도 있어요. 너무 시간이 없어서. 제 욕심은 속도를 내서 한 달 안에 끝내고 싶은데 절대 그렇게 못 끝내니까요. 요즘에는 많이 내려놨어요. 한 달이면 했을 걸 석 달에 걸쳐 하루하루 쌓아간다는 생각으로 해요. 그렇게 여유를 갖고 해도 다른 사람들이 시간을 소비할 때 저는 생산을 해야 하죠. 매일 뭔가 만들고 있어요."

같이 작업하는 분들이 있나요? "일러스트랑 웹툰은 같이 도와주는 사람은 없고요. 유튜브를 처음 시작할 땐 방송국 PD인 친구가 편집을 도와줬었어요. 근데 지금은 너무 바빠서 제가 다 하고 있고요. 기본적으로 저는 스토리라는 큰 줄기에서 여러 형식의 콘텐츠가 파생되는 거라고 생각하고 있거든요. 일러스트에다가 스토리를 붙이면 웹툰이 되고 그 웹툰을 조금 움직이면 모션그래픽이 되고. 영상은 조금 다른 카테고리이긴 하지만 저는 그게 아주 다르다고 생각하지는 않아요. 일단 여기까지는 제가 할 수 있는, 소화 가능한 범주인 것 같아요.

글도 쓰시죠? "일러스트 그림만으로 끝내기 아쉬운 이야기들이 많았어요. 웹툰으로 표현하려면 굉장히 많이 그려야 하는데 그러기엔 시간이 없었죠. 그래서 나머지 이야기는 글로 풀어야겠다고 생각했어요."

사이드 프로젝트를 오랫동안 하기 쉽지 않은데요. '밀키베이비'를 꾸준히 할 수 있는 동력은 뭘까요? "저는 저 자신을 스토리텔러라고 생각하거든요. 제 꿈이 영화감독이기도 했어요. 계속 머릿속에 떠오르는 스토리를 그림으로든, 영상으로든 만들고 싶은 거죠. 내가 생각한 스토리를 눈에 보이는 걸로 만들어 빨리 보여주고 싶다는 마음이 동력인 것 같아요. 지금은 시간 한계 때문에 모든 걸 소화할 수 없어서 매일매일 작게라도 뭔가를 만들어 내는 수밖에 없는 것 같아요. 그렇게 하나하나 만들어가고 있는데 멈출 수가 없어요(웃음)."

사이드 프로젝트라고 하기엔 '밀키베이비'로 정부·기업 콜라보, 전시, 출간 등 많은 성과를 내고 계신데 회사에서 반응은 어떤가요? "회사에서 '밀키베이비'를 알고 있지만 회사에서 알고 모르고는 그리 큰 영향은 없어요. '밀키베이비' 브랜드를 이끌어 온 덕분에 이직할 때 브랜딩과 마케팅을 이해하는 디자이너로 긍정적인 평가를 받았는데요. '밀키베이비'로서 기업 콜라보를 진행할 땐 알 만한 회사에 다녀서 신뢰가 간다고 하는 분도 있더라고요. 일과 사이드 프로젝트가 서로 도움이 되는 거 같아요."

직장과 사이드 프로젝트(밀키베이비) 중 하나를 선택할 것인지 둘 다 할 것인지 고민 중이라고 하셨는데 결정을 내리셨나요? "아직도 고민 중이에요. 결정 할 수 있는 날이 빨리 왔으면 좋겠어요. '밀키베이비'가 현실적으로 제가 목표하고 있는 경제적인 지점에 아직 못 올랐어요. 제가 예전에 모 대학교 디자인 학과에서 강의하다 질문을 받았는데 일러스트레이터로 먹고 살 수 있냐고 묻더라고요. 망설임 없이 그럴 수 없다고 대답했어요. 예술계가 좀 척박해요. 예술인들을 위한 복지 정책이 많아지기는 했는데 그전까지만 해도 굉장히 황무지였고 사회적 장치나 그런 게 없었어요. 일러스트만으로 먹고 살기에는, 게다가 자식이 딸려 있으면 이것만으로 경제 활동을 하는 게 굉장히 불안하죠. 또 지금은 잘 되지만 나중에 어떻게 될지 모르는 그런 상황에도 항상 놓여있고요. 코로나 같은 게 터지면 전시나 공연을 할 수 있는 창구가 아예 닫히는 거잖아요. 그럴 때 경제적으로 가치를 창출해낼 수 있는 게 없으니 직장을 갖고 있는 게 나은가 싶기도 하고요."

앞으로 '밀키베이비'를 통해 어떤 작업을 더 해보고 싶나요?

"2020년 한 해 동안 코로나로 인해 집콕하면서 밀키베이비 자체에 대해 다시 생각하게 됐어요. '밀키베이비'다운 그림은 뭘까, '밀키베이비'를 확장해 어떤 이야기를 들려줄 수 있을까. 또 이를 통해 사람들과 어떤 재미난 일들을 벌일 수 있을까 등. 연말부터 시작해 내년에는 질문에 대한 답, 혹은 실험의 결과가 나올 것 같아요.

얼마 전 저출산고령사회위원회와 시리즈물을 작업한 적이 있어요. 사람들에게 받은 질문에 그림 에세이로 답하는 형식이었는데요. 민감한 사회적 이슈를 제 경험에 녹여 다루는 게 만만치 않았지만 매회 높은 주목을 받았어요. 작게나마 사람들의 의식에 영향을 주었다는 게 보람 있었고요. '밀키베이비' 내에서, 사회적인 이슈를 계속 다뤄보고 싶어요. 개인적으로 저는 늘 예술가와 엄마를 양립하는 것, 혹은 일하는 나와 엄마인 내가 어떻게 양립하면서 잘 지낼 수 있을지 고민하고 있는데 이 주제도 '밀키베이비'를 통해 꾸준히 담아보고 싶어요."

내가 하고 싶은 일을 포기하지 않는 것

엄마가 되기 전, 엄마로 살면서 내 일을 이어가는 게 힘든 일인 줄 예상했나요? 엄마로 일하면서 가장 힘든 점은 무엇인가요? "두 가지가 가장 힘들었어요. 하나는 엄마가 되면 어떤 일이 벌어지는지에 대해서 정보가 굉장히 없었던 것이에요. 결혼과 출산으로 여성의 삶이 어떻게 바뀌는지에 대한 정보를 얻지 못했던 게 무척 힘들었고요. 다른 하나는 엄마라는 타이틀에 편견이 많다는 걸 느꼈어요. 엄마라는 표현이 붙어서 '엄마표 미술', '엄마표 영어' 하면 아마추어로 보는 색안경이 힘들었거든요. 제가 그림을 그리고 있다고 하면 '육아하면서 취미로 그리는 거 아니냐'는 얘기를 듣거든요. 나는 이미 충분히 최선을 다해서 치열하게 하고 있는데 엄마라는 타이틀에 대한 편견에 맞서 더 열심히 해야 하니까 더 힘들어지는 것 같아요."

엄마 전후로 내 커리어에서 가장 달라진 점은 무엇인가요? "커리어보다는 생각하고 콘텐츠를 만드는 방식 자체가 달라졌어요. 출산 전에 만든 콘텐츠는 제가 하고 싶은 이야기만 했어요. 그러니까 당연히 듣는 사람이 별로 없었죠. 출산 후에는 나랑 비슷한 상황에 있는 사람들이 어떤 생각을 하고, 어떤 이야기를 더 나누고 싶어 하는지 관심을 두게 된 것 같아요. 엄마들뿐만 아니라 아이가 없는 사람들, 남자들은 어떤 생각을 하고 있는지도 찾아보고요. 다른 사람들의 생각에 더 관심 두기 시작하면서 커리어뿐만 아니라 콘텐츠 방향이 완전히 달라졌고, 출산을 계기로 더 많이 성장할 수 있었던 것 같아요.

또 출산 전에는 하고 싶은 게 많았지만 시간이 많으니 '이것도 해보고 저것도 해보면 되지'라고만 생각했어요. 그런데 출산 후 시간이 없다 보니까 제가 정말 하고 싶은 것에 집중하게 되더라고요. 내게 지금 10분이 주어지면 가장 하고 싶은 게 뭘까 생각하면서 더 좋아하는 게 뚜렷해졌어요."

엄마가 계속 일할 수 있도록 제도적으로 꼭 개선되어야 할 점이 있다면요? "너무 많지만 한 가지만 이야기할게요. 최근에 책 〈보이지 않는 여자들〉을 읽었는데 세계적으로 팬데믹이나 자연재해가 왔을 때 여성들의 무급 돌봄 노동이 가중된다는 부분을 인상 깊게 읽었어요. 그럼으로써 여성들은 시간도 더 없어질뿐더러 경제적으로도 더 가난해지고 고립된다고요. 코로나 때문에 학부모들, 특히 엄마들이 육아도 힘든데 교육에도 신경 써야 하는 상황이 왔잖아요. 이런 상황에서 온라인일지라도 양질의 신뢰할 수 있는 교육이 왜 나오지 않는지 굉장히 심각하게 생각하고 있어요. 유치원이나 초등학교에서 온라인 수업으로 링크 하나 보내주거든요. 그 링크가 EBS로 일원화되기도 하고요. 교육만 국가가 잘 맡아줘도 이렇게까지 힘들지는 않았을 것 같은데…. 제도적 장치가 빨리 마련됐으면 좋겠어요. 그렇지 않으면 엄마들의 돌봄 부담에 대한 격차가 커질 것 같아요. 아이들 학력 격차도 마찬가지고요."

우영님에게 일이란 무엇일까요? "김우영이라는 이름으로 사회에서 내 몫을 하는 거라 생각해요. 누구의 엄마 이런 게 아니라 그냥 내 이름 석 자로요. 엄마로서의 일도 중요하지만 내가 진짜 하고 싶은 일을 포기하지 않고 지켜나가는 게 궁극적으로 나와 아이를 위한 삶이라고 생각해요. 제 모토가 '**따로 또 같이**'인데, 항상 육아와 일 사이의 균형을 아슬아슬하게 찾아나가고 있어요."

그럼 '밀키베이비'는요? "부캐?...는 아니고요(웃음). 제 이야기를 할 수 있는 창구, 그리고 제 생각이 뛰어놀 수 있는 놀이터 같아요. 말이 많지는 않은데 제 속에 하고 싶은 말이 많아요. 입보다는 손으로 말하는 편이고요."

마지막으로 내 일을 지키고 싶은 엄마들에게 하고 싶은 말이 있다면 남겨주세요. "제가 글에서 자주 이야기해요. 엄마들이 더 자주, 더 많이, 더 크게 자기 목소리를 냈으면 좋겠다고요. 예전에는 아빠의 입을 빌어서 나오는 육아툰이 많았다면 지금은 많이 달라진 것 같아요. 엄마를 그리는 웹툰도 많아지고 엄마들이 쓰는 에세이나 콘텐츠도 많아지고요. 엄마들이 커질수록 느리지만 세상이 바뀌는 걸 확실히 느껴요. 저희가 이야기함으로써 아주 조금이라도 바뀔 수 있다면 계속해서 이야기를 해야 하는 것 같아요. 그래서 이런 인터뷰도 하고 싶었어요. 제가 제 채널을 통해서만 이야기하는 것보다 모여서 얘기하면 더 큰 목소리를 낼 수 있지 않을까 싶었죠."

Interviewer's Note

'지옥'이란 단어를 이렇게 덤덤하게 말할 수 있을까. 일러스트, 에세이, 영상, 책 등 가능할까 싶을 정도로 많은 창작물을 내놓은 '밀키베이비' 우영님. 당연히 말이 많을 거라는, 인터뷰가 길어질 거라는 생각은 선입견이었다. 예상을 깨고 글씨를 한 자, 한 자 꾹꾹 눌러쓰듯 이야기를 풀어내는 무던한 말투에서 그가 거쳐온 고뇌의 깊이가 느껴졌다.

일과 육아, 퇴사, 창업 시도, 이직 그리고 온전히 나를 담아내는 창작 작업까지…. 그의 커리어 여정에서 보이는 다양한 키워드는 '스토리'로 한데 모인다. 머릿속에 넘쳐나는 이야기를 입보다는 손으로 말한다는 우영님은 인터뷰 이후 밀키베이비를 시작한 이유와 작업 과정 의미를 담아 연재를 시작했다. '아이를 낳지 않았다면 몰랐을, 다시 만난 세계'를 그렸다고. 내 일을 지키고 싶은 엄마로 살아가는 게 때론 '지옥'이기도 하지만 결국 나아진다는 것을, 그저 버티라는 모호한 말 대신 우영님을 통해 직접 볼 수 있었다.

/ 인성

이직만 6번, 어느 싱글맘의 일-가정 양립 실험

송지현
직장인 경력 11년, 6번 이직
30대 중반
자녀 1명(11세)

#11년직장인 #프로이직러 #싱글맘
#돌봄의_공공화 #사회적목소리 #엄마커뮤니티

지현님을 알게 된 건 그가 〈베이비뉴스〉에 연재하고 있는 [파트타임 엄마 송지현의 '24시간이 모자라'] 칼럼을 통해서였다. 한부모 가장으로서 엄마이자 아빠 2인분의 몫을 해내야 하지만 실상은 일과 육아를 함께 하느라 1인분의 몫도 제대로 해내지 못하고 있다는 의미에서 지현님은 자신을 '파트타임 엄마'라 칭했다. 사회생활과 잉태를 거의 동시에 시작해 11년간 6번이나 이직(당)한 지현님의 이야기는 아프게 찔찔했다. 정상 가족 테두리 밖에서 그동안 잘 알려지지 않았던 싱글맘의 일-가정 양립 분투기가 궁금했다.

이직을 많이 하신 거로 알고 있어요. 간략하게 지금까지 커리어 설명 부탁드려요. "대기업, 프리랜서, 중소기업, 국내외 공공기관 등 6번 이직 거쳐서 7번째 일을 하고 있어요. 처음 대기업 들어가서 사회생활 시작하면서 거의 동시에 아이를 가졌어요. 당시에는 제 정체성에 엄마가 거의 없었어요. 준비도 안 돼 있었고요. 육아는 99% 친정엄마에게 의존하고 저는 일만 했어요."

칼럼에서 '90년대 아빠'처럼 일만 했다는 표현이 인상적이더라고요. "아이가 커가면서 아이도 저와 정서적 거리감이 생기고 친정엄마도 힘들어하시고. 낳아 놓고 기르지도 않고 돈만 벌어다 주는 삶은 진짜 아닌 것 같다는 생각이 들었어요. 사실 자식을 키운다는 게 둘 중 하나 죽을 때까지 계속되는 관계잖아요. 제가 30대 중반인데도 아직 엄마의 도움을 받는 것처럼요. 저 스스로에게도 엄마라는 정체성을 주는 계기가 필요했어요. 그다음부터 고난이 이어졌죠(웃음). 기존의 커리어를 이어가고 싶어서 원래 일하던 회사 하청 받아서 프리랜서도 하고 외국계 공공기관에서도 일하고 가장 길게 일했던 곳은 집 근처 대행사였어요. 집에서 차로 15분. 어렵게 집 근처 직장을 구했는데 거기 다니면서 가장 힘들었어요."

사회에 대한
기대치가 높았어요

어떤 점이 힘들었나요? "진짜 작은 회사였어요. 사람 제일 없을 땐 저랑 대표 두 명. 그래도 규모가 작았기 때문에 융통성이 있었어요. 아침에 조금 늦어도 되고 저녁에도 때 되면 일단 집에 가서 일하고. 반면 사람이 적으니까 항상 남은 일이 있었어요. 아침에 아이 어린이집 맡기고 출근하면 저녁에 어린이집 차를 타고 아이가 회사에 와요. 아이가 회사 건물에 있는 체육관 가서 1시간 운동하면 오후 7시. 끝나고 같이 집에 와서 아이 밥 먹이고 저는 다시 일을 하는 거예요. 집안일도 해야 하고 애도 혼자 챙기고 회사 일도 해야 하니까 거의 매일 밤을 새웠어요. 그때가 아이 5~7살 때였는데 정말 벼랑 끝에서 있는 것 같았어요. 내가 잠깐이라도 힘을 빼면 바로 떨어질 것 같은 느낌 있잖아요. 그 기간이 3년 좀 넘어요. 정신적으로 가장 힘들었던 때였어요."

자의건 타의건 이직할 때 가장 큰 이유는 뭐였나요? "다 달랐지만 저는 일-가정 양립, 일-생활 균형. 그걸 찾고 싶었어요. 그걸 할 수 있다고 어느 시점까지는 믿었고요. 지금은 안 믿지만요(웃음). 제 스스로에 대한 확신과 사회에 대한 기대도 있었어요. 설마, 내가 이렇게까지 구르는데. 생각만 하는 게 아니라 실천도 하는데. 이렇게까지 뛰어들어보는데 정말 그런 직장이 단 하나도 없을까? 만들면 되지 않을까? 내가 선례가 되면 되지 않을까 했는데…. 결론적으로는 그런 직장이 없었어요."

외국계 공공기관은 다르지 않았나요? "유일하게 외부적인 요인 때문에 나오게 된 곳이 외국계 공공기관이었는데 거기도 오래 다니기 어려웠던 게, 집에서 거리가 너무 멀었어요. 부모님이 애를 하원시켜서 저녁때 부모님 집에 데리고 계셔 주셔서 가능했고, 우리 집에서 애를 안 보고 저녁밥을 안 먹으니까 집안일도 없었고요. 만약 제가 사대문 안에 있는 비싼 집에 살았거나 그 직장이 제가 다닌 조그만 회사처럼 저희 집과 가까운 곳에 있었으면 이상적인 그림이었을 것 같아요."

글 쓰신 것 보면 부모님 도움 안 받으면 애를 못 키우는 상황에 대한 자괴감이 계속 느껴지더라고요. "부모님께 어떻게든 의존하지 않으려고 엄청 노력했어요. 결국 실패했지만요. 아빠가 오래 아프셨거든요. 엄마가 누군가를 돌봐야 한다면 그 1순위는 아빠예요. 당연히 엄마는 아빠 보호자여야 하는 사람인데 제가 사정이 이렇게 되니까…. '맘고리즘'이라고 하잖아요. 엄마한테 돌봄 노동이 다 전가되는 구조가 너무 싫었어요. 저 또한 나중에 제 애가 커서 저한테 애 봐달라고 하면 싫거든요(웃음). 나는 엄마한테 기댔으면서 나중에 '엄마는 엄마 갈 길 갈 거야'라는 건 표리부동이잖아요. 그렇게는 하고 싶지 않았어요. 저는 다른 사람들보다 사회에 대한 기대치가 높았던 것 같아요. '당연히 혼자서도 아이 키울 수 있어야 하는 것 아니야? 당연히 사회에서 돌봄 체계를 꼼꼼하게 구축해야 하는 것 아니야?'라고 생각했어요."

맘고리즘
맘(Mom)과 알고리즘(Algorithm)의 합성어. 평생 돌봄 노동의 굴레에서 벗어나지 못하는 여성의 현실을 표현한 말.

북유럽식 복지 같은 거요? "맞아요. 저 혼자 벌어서 주거와 생계 모든 것을 해결해야 하는 상황에서 시터를 둘 여력이 당연히 안 되잖아요. 만약 제가 돈을 어느 정도 번다고 해도 사적인 대안을 가지고 아이를 키워야 하는 상황을 용납할 수 없었어요. 우리 사회가 이 정도밖에 안 되나. 나는 충분히 일하고 싶고 일할 수 있는 능력도 있는데 아이 맡길 데가 없어서 사회에서 탈락해야 하는 게 말이 되나? 이건 나의 문제가 아니라 사회 문제 아닌가. 사회 제도에 분노했어요."

그렇게 힘든데 집 근처 회사를 3년 넘게 계속 다녔던 이유도 일-가정 양립 때문이었나요? "그때가 유일하게 누군가의 도움 없이 아이를 키웠던 때였어요. 그 직장이 아니면 또 누군가의 손을 빌려야 했어요. 그나마 그 직장이기 때문에 아침에 10분 지각하는 것도 가능했고 저녁 7시에 아이랑 같이 퇴근하는 게 가능했어요. 그전에 너무 실패를 많이 해서 그 회사가 유일한 대안처럼 느껴졌어요."

너 애 키워야 해?

애 때문에 이직했던 거야?

어떤 실패를 경험하셨나요? "외국계 공공기관이 한국에서 사업을 축소하면서 계약이 종료됐어요. 그 후 8개월 동안 재취업을 준비했는데 제 컴퓨터에 입사 지원 리스트라고 엑셀 파일이 있어요. 8개월 동안 56개 회사에 지원을 했어요. 제가 탈락하면서 가장 열 받았던 곳은 타깃 소비자가 주부나 양육자인 회사들. 그런 업종에서조차 면접에서 '너 애 키워야 해?', '애 때문에 이직했던 거야?' 그런 이유로 탈락시키는 게 제일 좌절스러웠어요."

대기업, 외국계 공공기관 이력이 있는데도 그렇게 재취업이 어려웠나요? "4개월은 실업급여가 월 100만 원 나왔어요. 사실 그 사이에 재취업할 줄 알았거든요. 8개월 동안 10번 넘게 면접을 봤는데 면접에서 대놓고 면박 주는 데도 많았어요. 엄마는 자격이 없다고요. 그때 정말 바닥까지 위축이 됐던 것 같아요. 당시 고용센터에서 구직준비도 검사를 받았는데 자아 존중감 5점, 구직 효능감 1점…100점 만점인데 말이에요. 자아가 쪼그라드는 경험이었어요. 특히 제가 생계 부양자라서 그 8개월이 너무 힘들었어요."

여전히 많은 직장에서 '90년대 아빠' 같은 노동자를 원하는 것 같아요. "항상 직장은 누군가가 아이를 보고 누군가가 가사 노동을 해주는 제3의 존재가 있는 노동자를 기본으로 상정하잖아요. 저는 엄마이자 아빠인 사람으로서, 남편은 진짜 필요 없는데 아내가 필요하다는 생각은 많이 했어요(웃음). 이직 준비도, 일을 하면서는 도저히 준비할 수 없는 거예요. 가사나 양육 부담 없으면 집에 와서 이직 준비하면 되는데 저는 전혀 안 되니까 계속 공백이 생겼어요. 그러면서 커리어가 지저분해졌죠."

'정치하는 엄마들' 활동은 어떻게 하게 되셨어요? "초창기 멤버였어요. 2017년 장하나 전 의원이 <한겨레>에 쓴 글 보고 두 번째 모임에 나갔어요. 그때 뒤에는 돗자리 깔고 애들끼리 놀고 엄마들이 30명 가까이 둘러앉아 한 명 한 명 자기소개하는데 울지 않는 사람이 없었어요. 엄마의 어려움을 공감해 줄 사람이 주변엔 없잖아요. 저도 엄마 선배가 없었고요. 거기서 뭔가 전우애, 동지애 같은 걸 느꼈어요."

생각하고 계신 이상적인 돌봄은 뭔가요? "아이 돌봄의 완전한 공공화요. 사회에서 애를 키워준다는 말 많이 하는데 사실 제대로 충족이 안 되잖아요. 어린이집 운영시간만 해도 그렇고요. 돌봄을 정말 촘촘히 해야 해요. 어느 정도 촘촘해야 하냐면, 승무원이 다른 시터나 부모님 도움 없이 아이를 키울 수 있는 정도?"

왜 승무원인가요? "승무원은 해외출장이 잦고 근무가 불규칙하잖아요. 야간 근무 많은 간호사 같은 사람도 사회 공적 시스템 안에서 아이를 키울 수 있는 정도가 돼야 한다고 생각해요. 노동 시간이 출퇴근 시간 포함해서 하루 11시간이면 돌봄은 11시간 이상 공적으로 보장이 돼야죠. 물론 그전에 그런 과잉 노동, 장시간 노동을 하지 않아도 되는 사회를 만드는 게 먼저지만 당장은 돌봄이라도요."

코로나 상황에서 아이 보육은 어떻게 하고 계세요? "초등학교 4학년인데 학교를 못 가니 거의 혼자 크고 있다고 보시면 돼요. 3월만 해도 집에 혼자 절대 못 있었고 혼자 화장실 가는 것도 무서워했는데 상황이 이렇게 되다 보니…. 초기엔 학교 긴급 돌봄도 잠깐 다녔는데 1~2학년으로만 긴급 돌봄 대상을 축소한다고 하더라고요. 어쩔 수 없이 자기가 사는 법을 터득했다고 해야 하나요. 3월이랑 비교하면 애가 많이 컸어요. 컵밥이나 컵라면도 혼자 해 먹고. 외롭게 버티다가 다행히 최근에는 제 남동생을 포섭해서 아이 식사는 챙겨줄 수 있게 됐어요."

지현님 글을 읽다 보니 한부모 가정에 대한 정부의 돌봄 지원이 너무 부족하더라고요. 어떤 지원이 필요하다고 생각하세요? "여전히 한부모 가정의 문제가 오직 경제적 빈곤이라는 프레임에 갇혀 있어요. 한부모 가정은 다차원적인 취약성이 있어요. 저는 시간 빈곤, 노동력 빈곤이 제일 문제라고 생각해요. 정서적인 고립이나 결핍도 큰 문제고요. 자녀 교육의 문제도 있죠. 두 명의 성인 롤모델을 갖고 있는 아이와 롤모델이 한 명인 아이는 다르지 않을까요? 의사 결정할 때도 저희는 가족 구성원이 두 명이라 단순한데, 여러 가족 구성원이 있는 집은 양보하는 법, 타협하고 설득하는 법을 자연스럽게 배울 수 있잖아요. 사소한 것에서부터 사회성이 쌓이는 것 같아요.
특히 초기 한부모 자녀들은 부모의 이혼 같은 갈등 상황이나 부모의 사망에서 오는 스트레스에 노출되기도 하고요. 취약성이 너무 다양한데 오직 경제적 빈곤 하나만 가지고 모든 제도가 꾸려져 있다는 게 정말 납득이 안 돼요. 경제적으로 빈곤한 사람한테 최소한의 경제적 지원을 해주는 건 당연히 필요한데 그 외에 다른 취약성은 다 무시되는 거예요. 다각적인 취약성을 고려해야 한다고 봐요. 한부모도 스펙트럼이 굉장히 다양해요."

내 탓하지 말고,

내 선에서 해결하려 말고

엄마가 되기 전과 후, 커리어에서 가장 달라진 게 뭐라고 생각하세요? 엄마가 되기 전에 이런 변화를 예상하셨나요? "저는 커리어를 시작하자마자 엄마가 돼서(웃음). 나를 우선순위에 두지 못한다는 게 제일 큰 것 같아요. 저는 계속 제가 우선이고 제 생각이 제일 중요한 사람이었는데 나의 관점, 나의 희망 사항은 다 후순위로 밀리면서 말도 안 되게 '집이랑 얼마나 가까운가' 이런 게 직장을 고르는 조건이 되잖아요. 얼마를 주느냐도 별로 안 중요해요. 아침에 유치원 보내고 올 수 있는가. 이런 게 제가 직장을 고르는 기준이 된 거예요. 나의 커리어가 아니라 다른 조건을 위해서 직장을 옮기는 것 자체가 누수가 있는 거잖아요. 또 배워야 하고 새로 적응해야 하고 관계 다시 세팅해야 하고 출퇴근 경로 다 바꿔야 하고. 저는 솔직히 제 커리어에 아쉬움이 많아요."

〈베이비뉴스〉에 실명으로 연재해야겠다고 결심한 계기가 있나요? "어느 순간부터 저희 아이가 친구들한테 한부모 가정임을 스스럼없이 드러내고 있었어요. 아이가 이 상황을 건강하게 받아들이고 있다는 걸 확인하게 되니 저도 자유로워지더라고요. 오히려 우리 이야기를 글로 남기는 걸 아이에겐 허락 받았음에도, 제 스스로 필명으로 쓸까 마지막 순간까지도 고민했어요.
저도 한부모로 산 지 10년이 됐지만 여전히 조금씩 알을 깨나가는 과정인 것 같아요. 사실 제가 한부모 문제를 공론화하고 한목소리 내려고 이리저리 한부모 당사자들과 네트워킹을 시도해보기도 했는데 지금까지 딱히 저보다 상황이 낫다 싶은 사람을 못 찾았어요. 자기 가족 건사하기도 힘들 만큼 다들 열악한 거죠. 그렇다면 나라도 총대를 메고 전방에 서야겠구나, 하는 마음가짐으로 글을 쓰기 시작했어요.
저는 늘 남의 글 쓰는 일을 해왔거든요. 나의 이야기를 쓰고 싶은 욕망이 항상 있었어요. 오래된 일기장을 들춰가면서 쓰는 느낌이라 맨날 쓰면서 울어요. 한 편 쓸 때마다 정신적으로 소진이 크죠. 그래도 글을 통해서 스스로 저의 삶을 다시 회고해보고 다른 사람들한테도 관점을 제공하거나 누군가를 위로할 수 있다는 게 너무 의미 있는 일 같아요."

한부모 가족에게는 이런 고충이 있구나, 절절하게 알 수 있어서 좋은 글이었어요. 지헌님은 일하는 엄마로 살면서 어떤 점이 가장 힘들었나요? "생활이 힘들고 매일 시간 빈곤에 시달리고 육체적으로 힘든 것도 있지만 가장 힘들었던 건 시간이 가면 갈수록 초기에 커리어를 단단하게 세팅하고 시작한 친구들과 격차가 벌어지는 걸 부정할 수 없을 때였어요. 이전 직장의 네임밸류나 타이틀 같은 거, 별로 중요하게 생각 안 하는 사람이었는데 그것조차도 이제 저한테는 너무 과분한 상징이 되어버린 거예요. 저는 분명 일을 놓지 않았고 진짜 열심히 계속했어요. 어느 조직에서 어떤 일을 하건 정말 열심히 했고 항상 인정받았는데 업무가 아닌 다른 조건 때문에 옮겨 다니다 보니 오히려 급여 수준도 낮아지고 고용은 계속 불안정해지기만 하더라고요. 그래서 늘 억울한 마음이 있었던 것 같아요. 더 발전하고 싶고 더 성장하고 싶은데 뜻대로 안 되니까요."

인터뷰하는 동안 지현님 아이가 계속 옆에서 함께 하고 있는데 친구 같은 모습이 참 보기 좋아요. 엄마이자 아빠가 되어야 하는 사람으로서, 아이와 어떤 관계가 됐으면 좋겠는지 어떤 엄마가 되고 싶은지 궁금해요. "엄마이자 아빠, 그러니까 유일한 보호자이자 양육자이자 가족구성원으로서 가장 경계했던 것은 '수직적이고 종속적인 관계'였어요. 우리 둘에게 충분히 개입하거나 관찰할 제3의 인물이 없는 상황이잖아요. 제가 조금만 삐끗해도 아이의 기본권을 유린하거나 갑질하게 될 가능성이 큰 거죠. 그런 가능성을 조심하고 경계했기 때문에 자연스럽게 지금과 같은 관계가 형성된 것 같아요.
요즘은 아이와의 '거리'에 대해 고민이 많아요. 적당히 독립적이고 적당히 의존적인, 적당히 멀고 적당히 가까운, 연결되어 있으나 종속은 아닌, 그 균형점을 매 순간 잘 찾아나가는 게 숙제 같아요."

지현님에게 일이란 어떤 의미인가요? "너무 어려운 질문 아니에요?(웃음) 당장 올해 아이가 학교에 못 가게 되자 가장 먼저 내려놓으려 했던 후보 1순위가 일이었어요. 최근까지도요. 그렇기에 거창한 의미를 부여하기에는 찔리는 마음도 드는 것 같아요. 저는 일터를 계속 옮겼잖아요. 필요에 의해 선택해서 일을 바꿔나갔어요. 늘 목적하는 바가 달랐어요. 더 많이 벌 수 있느냐, 아이와 더 많은 시간을 보낼 수 있느냐, 사회에 기여할 수 있느냐. 그러면서 전문성과 적성이라는 큰 궤도를 이탈하지 않으려 애썼고요."

마지막으로 내 일을 지키고 싶은 엄마들에게 하고 싶은 말, 들려주세요. "나의 문제라고만 생각하지 말고 사회의 문제라고 생각해서 계속 목소리를 냈으면 좋겠어요. 개인이 뭉치지 않으면 사회는 변하지 않으니까요. 내 탓하지 말고, 내 선에서 해결하려 하지 말고, 사회적 차원에서 해결할 수 있도록 목소리를 냈으면 좋겠어요. 저처럼 어딘가에 칼럼을 써도 좋고, 브런치든 팟캐스트든 유튜브든 수단은 무궁무진해요. 이렇게 인터뷰에 적극 응하는 것도 그 일환이고요. 당사자들끼리의 연대를 통해 문제를 공론화하는 것도 유효한 방법이라 생각해요. 알리지 않으면 아무도 알아주지 않고 알 수도 없어요. 그러면 무엇도 바뀌지 않죠. 당장은 조회 수도 낮고 보는 이가 별로 없대도 공개된 기록을 남기는 것 자체로 의의가 크다고 생각해요. 저도 칼럼을 연재하기 시작하면서 닿게 된 뜻밖의 인연들이 많아요. 세상은 더디게 변하지만 그래도 내 후배들은, 내 아이들은 좀 다르게 살았으면 좋겠다는 마음으로 계속 '스피크 아웃(speak out)' 하고 싶어요."

Interviewer's Note

남편의 가사·육아분담, 남편의 육아휴직 의무화. 일-가정 양립 이야기가 나오면 자연스레 따라오는 주제다. 그동안 '내 일을 지키고 싶은 엄마들'을 떠올리면서 남편의 존재를 기본값으로 생각하고 있었던 건 아니었을까. 지현님의 이야기를 듣는 내내 내 안에 무의식적으로 자리 잡고 있었던 정상 가족 이데올로기가 선명해졌다.
지현님은 지난 시간을 회고하며 때로는 한숨 쉬고 때로는 말을 멈췄다. 그러면서도 단단하게 말을 이어갔다. 총대를 메고 전방에 나서는 마음으로. 지현님에게 인터뷰가 힘겨운 시간이 되지 않았을까 걱정됐다. 다행히 지현님은 자신에게도 꼭 필요한 시간이었다고 답했다.
지현님은 사회에 대한 기대가 너무 컸던 것 같다고 하면서도 사회적 목소리를 계속해서 내고 싶다고 했다. 내 후배들은, 내 아이들은 좀 다르게 살아갈 수 있도록. 조명되지 않았던 여성의 서사가 더 많이 알려지기를. 세상이 조금씩은 바뀌기를. 모두 함께 스피크 아웃.

/ 현진

'워킹맘 불모지' 국회에서 살아남기

장명희
직장인(국회의원 비서관) 10년
30대 중반
자녀 1명(12개월)

#경력공백위기 #재취업분투기 #동종업계동료남편
#일육아병행 #슈퍼맘은_안해요

국회의원 비서관으로 일하고 있는 명희님은 직접 인터뷰 신청 메일을 보내왔다. 아이를 낳고 육아휴직 중에 치러진 지방선거에서 함께 일하던 국회의원이 낙선하면서 경력이 중단될뻔한 위기를 만났다고 했다. 급히 복귀를 결정, 구직을 시도했지만 '엄마'라는 이유로 시련을 겪었다. 어렵게 재취업해 다시 커리어를 쌓아가고 있는 그는 '워킹맘 불모지' 국회에서 일과 육아를 병행할 수 있는 길을 찾고 있다.

명희님은 쉽게 컨택하기 어려운 직군에 계신데 먼저 신청해주셔서 놀랐고 감사했어요. 인터뷰를 어떻게, 왜 신청하셨는지 궁금해요. "육아휴직 후 복귀 앞두고 모든 게 다 걱정되고 두려웠어요. 일하는 엄마들이 복귀하고 어떻게 다시 적응하는지, 육아와 일을 어떻게 병행하는지 등 다양한 사례가 궁금하고 간절했죠. 비슷한 사례를 통해 용기를 얻고 싶었는데 공유된 실제 사례들이 많이 없더라고요. 그러다 〈포포포 매거진〉을 알게 됐는데 정말 도움이 많이 됐어요. 그래서 저도 경험을 나눠보자는 생각이 들어 인터뷰에 지원했고요. 워킹맘이라고 하면 언론에서는 슈퍼맘 같은 대단한 사례만 나오잖아요. 사실 일하는 엄마들이 생각하고 나누는 고민들은 소소한 것들인데 그런 것들이 좀 더 많이 알려지면 좋겠어요."

저희 '찐초면'이라 명희님에 대한 정보가 거의 없어요. 자신의 커리어 여정을 설명해 주시겠어요? 어떻게, 왜 정치권에서 경력을 시작하게 되셨나요? "대학에서 정치외교학을 공부했는데요. 마지막 학기에 졸업 앞두고 언론사 입사를 할까, 공기업 시험을 볼까 고민하다 국회 인턴에 덜컥 합격했어요. 김부겸 의원실이었어요. 그때부터 육아휴직하기 전까지 있었던 곳이에요. 의원님도 워낙 좋은 분이셨지만 국회 일도 너무 재밌었어요. 우리 사회의 어둡거나 부족한 부분을 찾아서 지적하고, 법도 만들면서 제도적으로 바꿔나갈 수 있잖아요. 그런 점이 보람차서 오래 일하고 싶다고 생각했어요."

국회에서 육아휴직, 재취업 가능할까

멋져요. 일하던 중에 유학도 다녀오셨다고 했는데 왜 가신 거예요? "2012년에 의원님이 대구에서 낙선하셔서 다른 의원실로 옮겼는데 거기서 이전에는 생각하지 못했던 것들이 조금씩 보였어요. 여성, 학사, 20대라는 나이 때문에 동일 경력이라도 남자들한테 밀리더라고요. 한계가 명확하다는 걸 느끼고 대학원에 가야겠다고 생각했어요. 이왕 할 거면 제대로 해서 오래 써먹고 싶어 아예 영국에 가서 석사를 했고요. 2014년부터 1년 동안 석사하고 와서 김부겸 의원님과 총선 같이 치르고 2016년에 다시 국회에 들어왔죠. 작년에 국회에서 일하는 남편과 결혼하고 같은 해 출산도 했어요. 그리고 육아휴직을 했죠."

기사를 하나 봤는데 국회에서 육아휴직 쓰기도 어렵지만 육아휴직했던 사람 절반이 복직을 못한다고 하더라고요. 육아휴직 결심했을 때 무척 어려우셨을 것 같아요. "국회가 우리 사회를 바꿔가는 곳이기는 하지만 변화에 혁신적으로 동참하는 곳은 아닌 것 같아요. 아직 조직 문화가 보수적인 면도 있고, 보좌진 같은 경우는 의원 임기대로 일하니까 4년 계약직 같은 느낌이 있어서 1년 동안이나 육아휴직 주기가 쉽지 않고요. 의원 선거 기간 때문에 임신 계획 조정하는 경우도 굉장히 많아요. 이런 이유로 1년을 풀로 쉬게 해주는 의원실은 드문데 저는 운이 좋은 편이었죠. 제가 같이 일했던 김부겸 의원님은 선진적이었어요. 의원님이 딸이 셋인데 손주들도 있어서 임신·출산·육아에 배려를 많이 해주셨어요. 국회에서 정말 흔치 않은데 임신했을 때 단축근무, 유연근무도 다 했어요. 선거 때 손 하나도 아쉬우셨을 텐데 저는 전혀 눈치보지 않고 잘 쉬었어요.
휴직 끝나고 그만두는 경우도 많아요. 돌아오는 사람도 있긴 한데 직급이 낮게 조정되기도 하고요. 국회가 아직 마음 놓고 육아휴직 쓸 수 있는 환경은 아닌 것 같아요. 저는 의원님이 당선되셨다면 안정적으로 복직했을 텐데 낙선이라는 예상치 못한 상황이 생겨 복직이 어려워졌던 경우고요."

직급 하향 조정이라니, 조금 충격적이네요. 명희님은 갑자기 재취업 자리 알아보시느라 분투하셨잖아요. 면접에서 '엄마'라는 이유로 시련을 겪었다고 하셔서 너무 마음 아팠어요. 실제 경험자로서 심경이 어떠셨나요? "저는 비교적 국회에 빨리 들어왔기 때문에 국회 경험이 많은 편이에요. 유학도 갔다 왔고, 다른 보좌진들에 비해 운 좋게 여러 선거도 많이 치러봤어요. 대선, 총선, 원내대표 선거, 전당대회 등. 이런 스펙을 갖췄기 때문에 의원실을 옮기는 게 어렵지 않을 거라고 생각했죠. 그런데 면접도 못 보는 곳이 너무 많더라고요. 이력서, 자기소개서는 물론이고 그동안 제가 썼던 질의서, 만들었던 법안 등 포트폴리오도 꼼꼼하게 만들었는데 면접 보러 갔을 때 그런 건 하나도 보지 않고 첫 질문이 '애가 너무 어리지 않아요? 아직 돌도 안 됐는데' 이더라고요. 이 얘길 듣는 순간 '내가 무슨 말을 해도 여기는 날 뽑을 생각이 없구나' 싶었어요. 실제로 그 자리에 저와 비슷한 나이의 남자 비서관이 채용됐어요.국회에서 일하는 남편도 저랑 같은 직급이고 나이도 한 살 차이예요. 제가 경력은 조금 더 많아요. 남편도 같이 일하던 의원님이 낙선해서 자리를 옮겼는데 남자들은 막 여러 군데에서 오퍼 받고 골라서 가더라고요. 저는 엄청 힘들었는데 말이죠. 다행히 한 군데 붙어서 다시 국회에서 일하게 됐는데요. 결정도 임기 시작 직전에 늦게 났어요. 그 이상 오퍼도 없었죠. 남편은 두세 군데에서 오퍼를 더 받았고요. 지금 일하는 의원님은 제 포트폴리오만 보시더라고요. 일로 평가하겠다는 느낌이었어요. 그걸 믿고 뽑아주셔서 감사한데 너무 과도하게 고마운 마음이 들어서 이상했어요. 전 단지 애 하나 낳았을 뿐인데 왜 나를 뽑아주는 사람에게 필요 이상으로 고마워해야 하는지 씁쓸하더라고요."

힘들게 재취업하셨는데 요즘엔 어떻게 지내세요? 코로나 때문에 국회 활동에도 제약이 있고 더군다나 아이도 이제 막 돌이라 어려움이 많으실 것 같아요. "새로운 의원실에 적응하는 게 쉽지는 않아요. 너무 바빠요. 회의도 많고 준비할 것도 엄청 많거든요. 집이 경기도라 새벽 6시 반에 나오는데 야근하고 밤 9, 10시에 들어가면 아기

얼굴 못 보는 날도 일주일에 두세 번은 돼요. 쉽지 않죠. 코로나 확산이 심해지면서 저희도 일주일 동안 재택근무했는데요. 이것도 사회적으로 논의돼야겠다고 생각한 게 육아하면서 일하는 게 안 되더라고요. 애를 보면서 일을 할 수가 없는 거예요. 육아는 육아대로 꼬이고 일은 일대로 힘들고. 앞으로 언택트 시대가 되면서 재택근무가 일의 한 형태가 될 텐데 거기서도 일·육아 병행 문제가 생기겠구나 싶더라고요. 의원님에게 재택근무 보고서 보고하면서 이런 부분도 말씀드렸고 앞으로 가이드라인 잡아보자고 하셨어요."

아이도 어린이집에 못 가고 있어요? "아직 어린이집 안 다니고 친정엄마가 봐주세요. 제가 급하게 복직했는데 아이가 너무 어려서 친정엄마가 돌까지 봐주시기로 했거든요. 근데 엄마가 너무 힘들어하셔서 어린이집 보내려고 했는데 코로나 때문에 타이밍을 놓쳤어요. 엄마가 일하면서 아이를 키우려면 누군가의 희생이 꼭 필요한 거 같아요. 그 부분이 좀 힘들 때가 있어요."

슈퍼맘 압박을 버리기로 했어요

모든 일이 쉽지 않지만, 특히 정치권에서 일하는 건 엄마의 시간·속도와 맞추기 정말 어려울 것 같아요. 이런 어려움을 잘 알고 계

시고 토로하시면서도 계속 일을 이어가겠다고 다짐하셨잖아요. 어떻게 이어가실지 계획이나 나만의 원칙, 마음가짐이 있는지 궁금해요.

"일을 계속 지켜나가기 위해서 저는 슈퍼맘이 되겠다는 압박을 버리기로 했어요. 일도, 살림도, 육아도 모두 잘할 수 없겠더라고요. 또 그것에 대해 죄책감 느끼기 시작하면 다 안 될 것 같았고요. 일에 집중할 때는 집중하고, 아이한테 미안해하지 않으려고 해요. 주중에 많이 못 보더라도 주말에 짧고 굵게 놀아주고 죄책감 갖지 말자고 생각했어요. 일에서도 쓸데없는 야근이나 만남은 줄였어요. 일도, 육아도 짧고 굵게 하자는 모토죠. 모든 걸 다 잘하겠다는 욕심을 버리기로 했어요.

또 번아웃을 조심해야 할 것 같아요. 엄마가 되고 일을 하니까 쉬는 날이 없더라고요. 주중에는 일하고 돌아와서 아이 돌보고 주말에도 육아하고요. 그래서 일부러 몇 시간이라도 저를 위한 시간을 가지려고 해요. 시가에 아이를 맡기고 잠시 나갔다 온다거나 하면서요. 제가 평일에는 웬만하면 일찍 퇴근해서 친정에서 저녁 먹고 설거지라도 하려고 하는데요. 어느 날은 너무 피곤했는데 설거지까지 하고 있으니까 '난 언제 쉬지' 하면서 눈물이 핑 돌더라고요. 물론 설거지가 힘든 건 아니었지만요(웃음). 그렇게 한 번씩 번아웃의 순간이 올 때가 있어요. 그런 순간순간을 잘 넘기려면 쉬는 것도 중요하겠더라고요."

남편분도 국회에서 같이 일하신다고 하셨는데요. 가사·육아 노

동 분담은 어떻게 하시나요? "남편이 살림을 거의 다 해요. 그래서 그나마 같이 일하면서 아이를 키울 수 있는 것 같아요. 복직 앞두고 계획 짤 때는 한 명이 야근하면 한 명이 빨리 가서 애를 재우자고 하기도 했는데요. 일정이 바쁘게 돌아가면 안 되더라고요. 결국 같이 야근하고 같이 들어가고 그래요(웃음). 그래도 피치 못할 저녁 약속 같은 건 교대로 잡으려고 하고 있어요. 아주 안 할 수는 없어서 최대한 줄이고 교대로 하는 거죠."

국회에서 오래 일하셔서 명희님과 비슷한 상황인 분들도 많이 알고 계실 것 같아요. "국회에서 예전부터 알고 지내던 또래들이 같이 워킹맘이 된 경우도 있고 비슷한 처지인 동료들을 알음알음 소개받는 경우도 있어요. 기자와 얘기하다 프로필에 아기 사진 있으면 육아 얘기도 하고요. 그런데 안타까웠던 경우가 더 많은 것 같아요. 같이 일했던 친구들 중 20대 때 능력이 출중했음에도 가족 돌봄 도움을 받을 수 없어 일을 그만두는 친구들이 너무 많았어요. 돌봄기관만 보내서는 여기 일은 커버가 안 되니까 조부모나 가족들 지원을 받아야 하는데 그런 도움을 받을 수 없어 떠나는 경우가 많아 안타까웠죠.
친구 중 한 명은 일은 하고 싶지만 친정도, 시가도 멀어서 국회를 나가 시민단체에서 유연근무하면서 일을 이어갔어요. 6개월 아이를 어린이집 보내고 일을 시작했는데 애가 15개월쯤 됐을 때 어린이집에서 사고가 있었던 거예요. 연락받고 병원 응급실에 갔는데 아이 이가 나가서 피가 철철 나더래요. 그때 너무 놀란 마음에 엄마가 옆에 있어야 할 것 같아서 일을 그만뒀는데 지금은 너무 빨리 그만둔 게 아닐까 후회된다고 하더라고요. 이런 사례들이 많아요. 그래서 능력 발휘를 잠시 중단하고 있는 친구들이 어떻게든 작은 일이라도 맡아서 할 수 있는 커뮤니티를 구축하는 게 필요할 것 같아요."

친구분 사연 너무 안타까운데 사실 비일비재하죠. 아이가 잘못되면 다 엄마 탓인 것 같아 결국 일을 포기하는 분들이 많잖아요. "그렇죠. 육아가 엄마의 몫이라는 인식이 있는 이상 경력 단절 문제가 근본적으로 해결되기 힘들 것 같아요. 애가 조금만 잘못돼도 '엄마가 집에 없어서', '엄마가 필요한데 엄마가 일하러 나가서' 이렇게 접근하면 근본적으로 문제를 풀기 어려운 거죠. 저도 제가 복직했다고 하면 '애는 어쩌고?', '애는 누가 키워?' 이런 질문 많이 받거든요. 그런데 남편한테는 아무도 그런 질문 안 해요. 아직은 육아가 엄마의 몫이라고 생각하는 거죠. 육아는 부부 공동의 책임이라는 인식이 확산돼야 할 것 같아요."

엄마가 된 후 일을 하신 지 4~5개월 정도 되셨잖아요. 많이 힘드실 것 같아요. 엄마로 살면서 내 일을 이어가는 게 이렇게 힘들 거라고 예상했나요? 가장 힘든 점은 무엇인가요? "아이 낳고 보니 일보다 예상치 못했던 상황이 힘든데요. 여기저기서 눈치를 봐야 하는 상황이요. 친정엄마가 아이를 풀로 봐주시니까 엄마한테 눈치 보이고, 조금 일찍 가게 되는 날은 아무도 눈치 안 주지만 회사에 눈치 보이고, 평일에는 남편이 친정에서 같이 지내서 남편한테 눈치 보일 때도 있고요. 나는 일을 할 뿐인데 여러 사람에게 죄인이 되는, 누구도 뭐라고 하지 않지만 혼자 아등바등하면서 눈치를 보게 되는 이런 상황이 생각지 못했던 부분인데 너무 힘들더라고요.
저녁 시간을 활용하지 못하는 것도 힘든 것 같아요. 저녁 시간에 책을 읽는다든가 공부나 운동한다든가 굉장히 당연했던 것들을 당분간 못하잖아요. 아시겠지만 업무적으로 하는 일 외에 보완해서 읽어야 할 책이나 자료도 많고요. 그런데 시간이 쫓기는 부분이 있더라고요. 자기 계발할 시간이 없어요. 아이 재우고 밤 10시, 11시에 뭘 하려고 하면 이미 지쳐서 눈에도 잘 안 들어오고요. 이젠 의지가 있어야 내 시간을 가질 수 있는 것 같아요."

최근에 복직하셔서 더 많이 느끼실 것 같은데 엄마 전후로 내 커리어에서 가장 달라진 점은 무엇인가요? "국회는 사람 만날 일이 많고 정보 공유 같은 게 술자리나 저녁 모임에서도 많이 이뤄지는데 이런 모임을 거의 갈 수 없어요. 예전에 10을 만났다면 지금은 1밖에 못 만나요. 결혼하기 전에는 일주일에 4~5번은 술 약속이 있었거든요. 그냥 집에 들어가는 날이 드물었는데 지금은 약속이 있는 날이 드물죠. 거의 2주에 한 번? 한 달에 한 번? 이런 부분들이 처음에는 힘들었어요. 기관이나 기자들 만날 때 저는 집에 가야 하니까 이러다 뒤처지는 거 아닌가 하는 생각이 들었죠. 그런데 또 하다 보니까 그걸 줄여도 일에 지장 없더라고요. 필요하면 낮에 만나면 되고요. 또 코로나 때문일 수도 있는데 요즘 대면접촉을 안 하는 추세라 모임이 많이 없어요. 코로나가 오히려 워킹맘들에게는 기회가 될 수도 있겠다는 생각이 들기도 하더라고요."

일하는 엄마에게 필요한 건 인식변화

엄마가 계속 일할 수 있도록 제도적으로 꼭 개선되어야 할 점이나 필요한 점이 있다면요? "미혼일 때는 보육 문제를 해결하면 출산율이 늘어날 거로 생각했어요. 저출산 문제에 대해 보육 기관이나 국공립 어린이집 늘리는 식으로 많이 접근하잖아요. 근데 제 주변 얘기 들어보고 겪어보니까 기관도 기관인데 유연근무제가 더 필요할 것 같아요. 일하는 엄마들의 죄책감은 기관이 온종일 애를 봐준다고 해서 덜어지지는 않거든요. 부모가 눈치 보지 않고 일찍 퇴근해서 아이를 돌보며 워라밸을 맞출 수 있는 제도적 환경과 인식 개선이 같이 가야 할 것 같아요. 그래서 정책 방향도 국공립 어린이집 확충, 기관 설립 이런 것도 중요하지만 유연근무제, 유연출퇴근제, 단축근무제 이런 게 많아졌으면 좋겠어요. 불이익 받거나 이상하게 여겨지지 않고 당연히 써야 하는 제도가 돼야 하겠고요.

그리고 전 저출산을 근본적으로 극복하려면 사회 인식이 바뀌어야 한다고 생각해요. 제가 임신하고 임신·출산··육아휴직에 대한 법을 한 번 봤어요. 혹시 고칠 게 있나. 근데 법은 너무 잘 돼 있더라고요. 법이나 제도는 잘 돼 있는데 막상 현실에서는 불이익 받고 잘 지켜지지 않는 거죠. 그래서 이게 제도만으로 되는 일이 아니라는 생각을 정말 많이 했어요. 또 제가 임신했을 때 전철 타고 다니는 게 너무 힘든 거예요. 출퇴근 길에 꽉 껴서 가는 게 너무 힘들었고 임신 초기에 냄새도 민감해서 너무 힘들잖아요. 유연출퇴근이 임신 초기랑 임신 후기밖에 안 돼서 임신 전체 기간에 유연출퇴근제를 도입해 법으로 만드려고 검토를 하는데 이걸 의무화하면 여기에 부담을 느낀 기업들이 임신부들에게 불이익을 줄 수도 있겠더라고요. 그때도 느낀 게 제도만으로는 안 된다, 내가 선의로 만든 법이 누군가에겐 칼이 될 수도 있다는 생각이 들어 좀 무섭기도 했어요. 그래서 의무가 아닌 권고로 법안을 발의했어요.

사회적 인식을 바꾸는 운동을 지속해서 10년 정도 뒤에는 인식이 많이 바뀌었으면 좋겠어요. 육아는 부부 공동의 책임, 임신·출산 시 배려가 직장에 피해를 주는 일이 아니라는 아주 기본적인 부분에 대한 인식이 바뀌어야 해요. 제도도 끊임없이 보완·수정해야 하지만 더 필요한 건 인식 변화인 것 같아요."

명희님은 국회에서 일하시니까 일하는 엄마와 관련해 정책적으로 풀어갈 수 있는 여지가 있으시잖아요? 목표나 이루고 싶은 것이 있나요? "유연근무제의 전사회화요. 또 아직 깊이 있게 생각해보지는 못했지만 코로나 때문에 돌봄 사각지대가 발생했잖아요. 그 부분도 제도적으로 보완하고 싶어요. 법안 검토하다 좋은 법안을 봤는데 감염병 국면에서는 부모의 육아휴직을 연장해 주는 거예요. 이런 법안이 많이 나와 있어요. 코로나 이후 돌봄을 생각하고 논의하고 있는 거죠. 생각을 더 발전시켜 볼게요."

엄마가 되고 나서 정치에 관심이 생겼다는 분들도 많은데요. 어떻게 정치에 참여해서 효과적으로 목소리를 낼 수 있을까요? "국회의원들은 대부분 지역구가 있으니까 지역 사무실 컨택하고 찾아가서 면담하는 것도 효과적이에요. 저희 의원님만 봐도 지역 사무실 민원들 위주로 많이 보거든요. 아니면 의원실 대표 메일 주소로 메일 보내셔도 돼요. 정책 제안 메일 다 봐요. 또 의원실에 전화하면 바로 연결되니까 전화해도 돼요. 국회가 은근히 많이 열려있어요."

명희님에게 일이란 무엇일까요? "이 질문을 보고 한참을 생각했어요. 비수처럼 꽂히면서 나에게 일이 뭐지? 뭐길래 이렇게 하고 있지? 이 생각이 들더라고요. 일이란 끊임없이 저의 존재를 증명하는 수단인 것 같아요. 사회 속에서 제 존재를 증명하고 사회의 일원으로서 '나 여기 있다' 손들면서 필사적으로 처절하게 증명하는 그런 시간을 보내고 있지 않나 싶어요. 육아휴직 중에 다시 일하고 싶다는 생각을 많이 했거든요. 전업주부도 물론 매우 가치 있는 일이지만 다시 돌아가서 내가 해왔던 것들을 펼치고 싶었어요. 제가 아이를 되게 힘들게 낳았어요. 온갖 마취를 다 하고 낳았는데 그래서 그런지 산후 6개월까지는 단어 같은 것도 잘 생각이 안 나고 바보가 된 느낌이더라고요. 그래서 더 일하고 싶었던 것 같아요."

마지막으로 내 일을 지키고 싶은 엄마들에게 하고 싶은 말이 있나요? "앞에서도 말했지만 일과 육아 모두 잘해야 한다는 죄책감에서 벗어났으면 좋겠어요. 가능하다면 주말에 한두 시간만이라도 자기만의 시간을 가졌으면 좋겠고요. 또 우리 세대는 워라밸 맞추면서 육아와 일을 병행하는 엄마가 되었으면 좋겠어요. 엄마지만 일로 성공하려면 위에 계신 분들처럼 모든 걸 내려놓고 치열하게 달려야만 하는 게 아니라요. 저도 일만 한 워킹맘 선례가 되고 싶지 않아요. 육아도 하면서 일할 수 있다는 걸 보여주는 선례가 되고 싶어요.
그리고 두려워하지 말고 경험을 나눴으면 좋겠어요. 일하면서 작은 경험이라도 나누는 게 많이 의지가 되더라고요. 서로 이해하니까 얘기하면서 많이 위안받고 털어버리고 일에 다시 집중할 수 있게 돼요. 그래서 커뮤니티가 필요한 것 같아요. 엄마들이 경험을 나눌 수 있는 커뮤니티만 잘 돼 있어도 경력 단절이 줄어들 것 같더라고요. '원래

다 그래', '성공하려면 어쩔 수 없어'가 아니라 내가 가진 고민과 경험을 소소한 것까지 허심탄회하게 털어놓고 같이 해결점 찾아가다 보면 경력 단절도 줄어들지 않을까 싶어요. 같은 처지에 있는 사람들끼리 교류하면서 같이 이겨나갔으면 좋겠어요. 국회에서 필요한 일이 있으면 돕고 싶어요. 어떻게 하면 될지 잘 모르겠지만 저도 정기국회 끝나면 국회에서 엄마 모임 조직해보려고 해요."

Interviewer's Note

"일만 해서 성공한 선례가 되지 않겠다", "슈퍼맘이 되겠다는 욕심을 버리기로 했다"는 명희님의 '단호박' 다짐이 놀라웠다. 국회에서 가능할까? 무언가 비법이 있을까? 이런 다짐을 어떻게 일찌감치 하게 됐을까? 돌이켜보면 국회 출입 기자 시절 3040 여성을 만난 적이 거의 없다. 특히 의원실 직원들은 대부분 남성이거나 젊은 여성이었다. 입법, 국정감사, 선거…. 끊임없는 정치 이슈까지 망라해야 하는 국회에서 '워라밸'은 불가능해 보였다. 어쩌면 나도 미래가 보이지 않는 그곳에서 도망친 것일 수도 있다. 국회의 현실은 여전했지만 명희님은 미래를 만들기로 결심했다. 그의 다짐은 비법보다는 단단한 신념 같은 거였다. 더 나은 사회를 만들기 위한 스스로와의 약속. 복귀를 앞두고 불안에 휩싸인 명희님이 일찌감치 이런 마음을 먹을 수 있었던 건 다른 엄마들의 소소한 이야기 덕분이었다. 멀고 먼 성공 신화가 아닌 당장 내 현실을 위로하고, 한 걸음 나아갈 수 있게 하는 레퍼런스. 명희님이 만들겠다는 '국회 엄마 모임'이 어쩌면 그의 다짐을 실현해줄 수 있지 않을까 기대된다.

/ 인성

자영업자 엄마가 나를 지키는 법

이민정

직장인(방송사 PD) 3년, 사진관 창업 6년

30대 후반

자녀 2명(8세, 3세)

#자영업6년 #엄마_사진사 #번아웃

#잘라내는_연습 #동료찾기 #시민교육의_꿈

"참 대~단하다." 민정님이 운영하는 '사실은 대단한 사진관'의 이름은 친정엄마가 민정님에게 입버릇처럼 하던 말에서 나왔다. 여행 사진 기자가 되겠다 했다가 다큐멘터리 제작팀에 조연출로 들어갔다가 방송국 PD로 취직했다가 돌연 그만두고 다시 다큐멘터리 찍겠다 했다가 출산 후 동네 사진관 주인장이 된 민정님. 지금은 8살, 3살 두 아이를 키우며 사이드 프로젝트로 '사실은 대단한 창작소'를 운영하면서 시민 교육의 꿈을 키우고 있다. 대단한 민정님에게 자영업자 엄마가 나를 지키는 법에 대해 물었다.

원래 방송사에서 일하셨다고 들었어요. "2009년에 케이블 방송사 입사해서 PD로 3년간 일했는데 저희 팀에는 여자 선배 PD가 아무도 없었어요. 항상 카메라 들고 뛰어다니고 밤도 많이 새고요. 남편도 같은 방송 일을 하고 있어서 같이 일하다 보면 아이 돌볼 사람이 없겠다 싶었어요. 그 회사에 다닐 때 임신을 한 건 아니고요. 데일리 프로그램을 만들고 있었는데 제 에너지가 낭비되는 것 같은 느낌이 계속 들었어요. 공들여서 한편을 제대로 만들고 싶다는 생각에 다큐멘터리 영화 제작팀에 조연출로 지원했고 제가 좋아하는 다큐멘터리 감독님 밑으로 들어가기로 했어요. 그게 2012년이었어요."

그래서 다큐멘터리를 찍으신 거예요? "본격적으로 다큐 일을 시작하기 일주일 전에 임신 사실을 알게 됐어요. 임신을 하고 입덧이 너무 심했어요. 촬영 현장에서 조연출이 어떤 역할을 해야 하는지 알고 있었고 긴 과정에 참여하기엔 무리가 될 것 같아 제가 먼저 못하겠다고 했죠. 그때 엄청 울었어요. 다시 그 기회는 돌아오지 못할 것 같아서. 그렇게 1년 넘게 쉬게 되었어요."

돌 지나자마자
사진관 얻으러 다녔어요

사진관은 어떻게 열게 되신 거예요? "아주 어릴 때부터 카메라를 많이 가지고 놀았어요. 아빠가 기계에 관심이 많아서 카메라, 캠코더 같은 걸 많이 샀는데 제가 사진 찍으면 아빠가 인화해 주고요. 덕분에 사진 찍는 데 부담이 없고 기계에 대한 두려움이 없었어요. 제가 뭔가 배우러 다니는 걸 좋아하는데 대학 가서도 사진 강좌 있으면 들어 보고, 신방과 복수 전공할 때도 사진 관련 과목은 다 들었어요. 친구들 행사 가서 촬영해 주기도 하고요. 원래 여행 사진 기자가 꿈이었는데 채용 공고가 나서 봤더니 연봉이 1,000만 원이더라고요."

네? 1,000만 원이요? "아무리 좋아하는 일이라도 안 되겠다 싶었죠. 뭔가 만들어서 표현하는 걸 좋아해서 케이블 방송사에 들어가서 일을 배웠어요. 1년 안 돼서 조연출 떼고 프로그램 단독으로 맡아서 제작하고 사람들 많이 만나고 인터뷰하면서 실무적인 걸 많이 배웠어요. 그 경험이 결국 다 사진관 여는 데 도움 된 것 같아요. 비싼 카메라도 만져 보고 포토샵도 배우고요. 사진이라면 내가 조절하면서 일할 수 있겠다 싶어서 첫째 돌 지나고 나서부터 애 업고 사진관 공간 얻으러 돌아다녔어요."

취미였던 일로 창업을 하게 된 거네요. 용기가 필요했을 것 같아요. "제가 사진관 열었던 2014년만 해도 동네 사진관이 사라지는 시기였어요. 부동산 중개인도 사진관 다 닫는 추세인데 왜 열려고 하냐고 묻더라고요. 그래도 저는 제 방향대로 가다 보면 다른 수요를 찾을 수 있을 거라고 생각했어요. 그때는 지금처럼 가족사진을 쉽게 찍는 분위기가 아니었거든요. 날 잡아서 수십만 원 들여서 찍거나 패키지로 찍는 게 아니라 촬영하고 싶을 때 편하게 찍을 수 있으면 좋겠다고 생각했어요. 가격도 10만 원 이내로 가볍게 하고요. 그때는 조명 촬영을 많이 하던 때였는데 저는 자연광 촬영을 하려고 했어요. 사진관에서 일해본 경험이 없으니까 오히려 '이렇게 해야 돼'라는 고정관념 없이 편하고 자유롭게 촬영할 수 있었어요. 손님들 피드백도 좋았고요. 그러다 보니 빨리 자리 잡을 수 있었던 것 같아요."

사진 촬영은 주말에 일이 더 많잖아요. 어떻게 육아와 일을 병행하셨나요? "양가 부모님 도움을 받을 수 없는 상황이었어요. 제가 주말에 촬영 나가야 하니까 남편이 주말에 일하지 않고 야근하지 않는 회사를 들어가기 위해 엄청 노력했어요. 남편이 헌신한 거죠. 아이들은 엄마, 아빠 두 명이 함께 있는 주말을 거의 보내지 못했어요. 모두 함께 있는 주말은 1년에 한두 번 정도? 둘째 생기면서부터는 혼자 아이 둘 온전히 돌보는 게 얼마나 힘든지 아니까 주말 이틀 중 하루는 일을 빼려고 노력했어요. 너무 오랫동안 아이들에게 주말을 뺏은 게 아닌가 싶어서 6개월 전부터는 일요일에는 촬영을 안 하고 있고요."

첫째가 8살, 둘째가 3살. 터울이 많이 나는 편이에요. "사실 둘째 생각이 없었어요. 저도 아이 좋아하고 남편도 둘째 바라고 있었지만 첫째 하나만 키우는 것도 애 봐줄 사람이 없어서 발 동동 구르고 있었거든요. 내가 과연 일하면서 양가 부모님 도움 없이 두 명을 키울 수 있을까? 안 되겠더라고요. 그런데 둘째가 생긴 거예요. 그때 촬영 예약이 1년 뒤까지 산발적으로 잡혀 있었어요. 한두 달은 일정이 이미 꽉 차 있는데 입덧이 너무 심한 거예요.
누워 있기도 힘든 상황인데 약 먹고 일주일에 링거 한 번씩 맞으면서 촬영했어요. 촬영할 때는 집중하니까 입덧을 못 느끼다가 카메라 놓으면 웩웩. 아이 낳으러 가기 하루 전까지 작업을 했어요. 이게 혼자 하는 일이니까 대신 해줄 수 있는 사람이 없는 거예요. 육아휴직처럼 딱 잘라낼 수도 없고요. 하루 전날까지 작업했는데도 다 못 끝내서 아이 출산 때문에 늦어진다 미리 말씀드리고 출산 1~2달 뒤부터 작업 시작하고, 3달 뒤부터는 다시 촬영을 시작했어요."

사진관 블로그 들어가 보니 첫째가 갑자기 아파서 사진관을 열지 못한 이야기, 둘째 입덧 때문에 단축 운영한다는 이야기가 적혀 있더라고요. "아이가 어릴 땐 정말 자주 아프더라고요. 일단 열나면 어린이집에서 전화가 오고 다른 아이들을 위해서도 분리해줘야 하니까 갑자기 업무를 못하게 되죠. 첫째 키울 땐 더 안절부절못하기도 했고, 아이돌봄 서비스 이용하기 전이라 정말 백업이 없었어요. 가능한 전염병에 걸리지 않으려고 노력했어요. 다행히 저는 감기도 잘 안 걸리는 건강 체질이거든요. 아파도 하루 잘 자고 일어나면 괜찮았고요. 그런데 한해 한해 지나면서 조금씩 달라지는 것 같아요.
한번은 아데노 바이러스에 걸렸는데 몸이 아픈 것도 아픈 거지만 전염성이 강해서 첫째, 둘째, 저까지 셋 다 걸린 거예요. 돌잔치 출장 촬영이 있었는데 바이러스를 품고 갈 순 없어서 촬영을 하러 못 갔어요. 딱 두 번, 제가 어쩔 수 없이 취소한 경우가 있고 그걸 빼고는 아이 혹은 제 컨디션 때문에 예약을 어긴 적은 없었어요. 그러지 않으려고 정말 노력했고요. 대신 작업이 늦어지는 경우는 있었어요. 아이가 수족구 걸리면 일주일은 그냥 집콕인데 하루 종일 아이 보고 같이 쓰러져 자고. 작업이 밀려 버리고 그게 스트레스가 됐어요. 그래도 정말 저는 손님 복은 많은 것 같아요. 손님들이 아이를 키우시니까 제가 구구절절 설명 안 해도 이해해 주시고요. 그렇지만 모두가 그렇게 이해해 줄 수 있는 건 아니니까요."

갑작스런 번아웃.
잘라내는 연습

많이 힘드셨을 것 같아요. "대신해 줄 사람이 없는 게 가장 힘든 점이었죠. 엄마도 저 하나고요. 제가 없으면 안 되는 상황들이 가끔 목을 조여왔어요. 남편이 아이들이랑 잘 놀아주고 열심히 하려고 노력하지만 육아의 주체가 되지는 못 하더라고요. 어떤 어린이집 보낼까 고민하는 것도, 어린이집에 적응시키는 것도, 아이와 떨어지면서 마음 아픈 것도 결국은 다 제가 해야 했어요.

직원 구할 생각은 안 하셨어요? "촬영이나 편집은 저만의 색깔이 있으니까 누군가에게 맡기기가 쉽지 않더라고요. 제 사진을 보고 저를 보고 오는 손님들이니까요. 촬영할 때 옆에서 도와주는 역할을 한 친구가 있어요. 그 친구에게 둘째 임신했을 때 도움받았어요. 사진 보정만 해주는 사람을 구해보기도 했는데 내 일처럼 해주는 사람을 찾기 힘들고, 또 이게 취향과 감각의 차이가 있다 보니 나중엔 포기했어요.
애들 핑계로 일 소홀히 한다는 얘기 듣기 싫어서 둘째 출산 후 1년간 너무 열심히 일했어요. 그러다 어느 순간 일이 손에 안 잡히더라고요. 좋아하고 즐거운 일인데 말이에요. 지금은 사진관이 작은 공간으로 이전을 했는데 그전에는 열심히 일하고 싶어서 넓고 층고도 높은 공간을 썼어요. 그 큰 공간에서 혼자 작업하는 것도 압박으로 느껴지고 외롭고…. 다양하고 복잡한 생각이 막 들더라고요."

번아웃이 온 거네요. "이건 아니라는 생각이 들더라고요. 나를 돌보지 않았던 시간이 결국 나에게 돌아왔구나 싶었죠. 일을 줄여야겠다고 마음먹었는데 그 와중에 남편이 업무 강도가 매우 높은 곳으로 이직을 하게 됐어요. 남편에게는 좋은 기회였어요. 고민을 많이 했는데 지금까지 남편이 제가 일을 할 수 있게끔 평일 저녁과 주말에 항상 아이랑 같이 있었으니까 이번에는 제가 일을 줄이는 대신 남편에게 하고 싶은 일 하라고 했죠. 남편의 자리가 없어지니까 그만큼 육아에 대한 부담이 더 높아지게 되더라고요. 지금까지는 들어오는 모든 일을 감사하게 생각하고, 제가 시간이 있는데도 촬영을 안 하는 건 고객들에게 미안한 일이라고 생각했어요. 그런데 그게 아니더라고요.

내가 이 일을 오랫동안 즐겁게 하려면 여기까지 해야겠다, 이런 선을 그때부터 잡아갔어요. 그게 딱 1년 전이에요. 둘째 돌 지나고. 그때부터 적당히 일하는 걸 계속 시도했어요. 어느 정도 일이 들어오면 더 잡지 않고 거절하는 거죠. 이게 처음에는 정말 어려웠어요. 지금까지 잘라내는 연습을 많이 했어요. 짧게 일해서 돈을 확 벌면 되겠지만 그게 아니라면 내 몸을 아끼면서 에너지를 분산시키려고 조절하고 있어요. 저도 아이들에게 줘야 하는 에너지가 있어야 하니까요."

블로그 공지 사항에도 언제는 연락 안 된다 등 선을 긋는 단호한 문구가 보이더라고요. "워낙 빨리빨리 대답하고 반응하는 시대니까 잠깐 핸드폰 안 보고 있으면 전화, 문자가 쏟아져요. 원래는 밤에 집에 가서도 계속 연락받았는데 아이한테는 핸드폰 못 보게 하면서 저는 계속 핸드폰 보고 있으니까 안 되겠더라고요. 그렇게 대응하다 보니까 밤 10시에도 연락이 오고요. 이렇게 해서는 아이에게도 집중하지 못하겠다 싶어서 집에 들어가면 핸드폰을 아예 분리했어요. 업무용이랑 개인용으로요. 퇴근하고 나면 쳐다보지 말자, 쉬는 날은 아예 보지 말자. 몇 년 전만 해도 그렇게 자영업 하는 사람이 드무니까 쓴소리 많이 들었어요. 그런데 이 일을 오래 하려면 좀 단호해야겠더라고요."

일을 줄이면서 불안하진 않으셨어요? "저는 돈을 많이 벌어야겠다는 욕심이 없어요. 적게 벌면 적게 쓰지 뭐(웃음). 무슨 일이든지 나는 할 수 있고 늙어서도 새 일 찾거나 이 일 계속할 수도 있고. 지금 당장 많이 벌어야겠다는 생각이 없어요. 일이 재밌고 일이 들어오니까 계속했던 거지, 물 들어올 때 노 저어야 한다? 그런 건 아니었어요. 이 일이 즐거운 수준을 벗어나 힘들다면 나를 지켜야겠다고 생각했어요. 프리랜서나 자영업자는 결국 혼자 다 감당해야 하잖아요. 그러니까 내가 어느 정도 원칙이 있어야겠더라고요."

사실 돈 욕심은 버려도 일 욕심은 버리기 힘들잖아요. 그걸 끊어내기 쉽지 않으셨을 것 같아요. "그래서 결국 제가 번아웃이 왔잖아요(웃음). 끊어내는 걸 하나씩 시도했어요. 처음에는 핸드폰을 분리하고, 쉬는 날을 하루에서 이틀로 변경하고요."

아이 낳기 전의 감각으로 일을 하다 보면 나도 힘들고 가족도 힘들고 악순환이 되니까 계속 선 긋는 연습을 하는데 쉽지 않더라고요. "일을 줄이면서 여유가 생기니까 그 에너지로 '사실은 대단한 창작소'라는 또 새로운 걸 시작했잖아요(웃음)."

맞아요. '사실은 대단한 창작소'는 또 뭔가요(웃음). "둘째 갖기 전에 저희 스튜디오 공간에서 제가 사진 수업을 열기도 하고 좋아하는 작가님들 섭외해서 수업을 열기도 했어요. 둘째 생기면서 중단했다가 서울 은평구 평생학습관에서 '2020 은평 우리 동네 배움터'라는 사업을 하는데 제 공간에 맞게 수업을 기획하면 강사비를 지원해주더라고요. 제가 진행하는 사진 수업도 있고 팟캐스트, 독립출판, 글쓰기 등 수업을 기획했어요. 이 수업은 지원 사업을 받아서 수강료가 무료인데요. 제가 번아웃 왔을 때 책 읽기와 글쓰기가 정말 큰 도움이 됐거든요. 다양한 사람들이 이 수업에 와서 자신을 돌아보고 자기 속에서 나오는 걸 풀어낼 수 있으면 좋겠어요. 사실 저한테 돌아오는 돈은 거의 봉사 수준인데요. 지원 사업이 아니더라도 이런 모임 한번 만들어보고 싶었어요. 저도 하고 싶은 것, 배우고 싶은 게 많은 사람인데 강좌 기획하고 운영하면서 그 욕구가 해소가 되는 것 같아요. 다음번에는 작사 수업도 만들고 싶어요."

여러 개 강좌 기획하고 강사 섭외하고. 힘드셨을 것 같아요. "특히 글쓰기 수업은 정말 고심했어요. 글쓰기 수업을 많이 들어보기는 했는데 이번에는 제가 작가님 섭외를 해야 하잖아요. 늘 의뢰만 받다가 의뢰를 하는 사람이 되니까 어렵기도 하고 조심스럽기도 하고요. 또 저는 돈 계산을 안 좋아하는데 수업 진행하면서 예산을 꼼꼼하게 써야 하더라고요. 예산 수정도 몇 번이나 하고요. 그런데 사진관 운영하면서도 좋아하는 일을 하려면 안 좋아하는 일을 해야만 운영이 되더라고요. 싫어하는 일, 어려운 일은 어쩔 수 없이 모든 일에 포함돼있다고 생각해요."

인터뷰 신청 이메일에서 "어떤 식으로든 조금씩 나처럼 고군분투하는 엄마들에게 도움이 되는 활동을 해보고 싶으나 동료가 없다"고 말씀하신 게 인상적이었어요. 동료를 찾고 싶은 욕구가 있으신 것 같아요. "계속 혼자 일하니까요. 사회과학 계열 전공이니 사진으로 자영업 하는 친구도 없고요. 제가 생각하는 방향을 나누기 위해서는 취향을 찾아다니고 동료를 만나려 노력해야 하는 것 같아요. 친구들은 소중한 추억을 나눈 이들로 남겨두고요(웃음). 친구들은 조금만 진지한 얘기해도 갑자기 왜 이러냐고 하더라고요.
4년 전쯤 은유 작가 <폭력과 존엄 사이> 북토크에 간 적 있어요. 거기에서 은유 작가가 힘없는 사람들이 목소리를 내기 위해서는 혼자는 힘드니까 연대해야 하고 그 목소리가 모여야 힘이 생긴다고 이야기한 적 있어요. 제가 글쓰기 수업을 들었던 무루 작가도 비슷한 이야기를 하더라고요. 내가 알고 있는 사람들과 내가 하고 싶은 이야기를 나눌 수 없다고 생각할 때, 그럴 때가 바로 내가 그런 모임을 만들 때라고요."

잘 쉬고
도움을 받으세요

아이를 낳기 전과 후, 커리어에 대한 생각이 어떻게 변하셨나요? "하고 싶은 일이 달라지지는 않았는데 속도가 달라진 것 같아요. 일하다 남편이 갑자기 늦게 들어온다고 하면 오늘 보내야 하는 사진을 못 보내고 급히 퇴근해야 해요. 갑자기 애가 아프다고 전화 오면 달려가야 하고요. 죄송하다는 말을 진짜 너무 많이 하고 사는 것 같아요. 첫째 때는 우리 집에 어르신이 와서 아이를 봐주거나 집안일을 해주는 게 너무 불편하고 부담스럽더라고요. 그래서 산후도우미도 안 썼어요. 그런데 둘째 낳고부터는 이렇게 해서는 아무것도 못 하겠다 싶어서 돌봄 선생님을 구하고 적극적으로 믿고 의지했어요. 첫 번째 돌봄 선생님이 그만둔다고 하실 때 너무 눈물이 나는 거예요. 그분이 마음으로 아이를 예뻐해 주셔서 저도 마음을 열었던 거죠. 이렇게 도움받으면서 할 수 있구나, 첫째 때도 도움을 잘 받았더라면 그렇게 힘들지 않았을 텐데 생각이 들더라고요. 정부에서 지원하는 '아이돌봄 서비스'인데 많이들 도움받으셨으면 좋겠어요."

지금도 이용하고 계시는 거죠? “거의 매일 와서 아이들 봐주시고 계세요. 저는 토요일도 근무하고 남편도 주말 없이 일하니까요. 토요일은 제 스케줄 있을 때 봐주시고, 평일에는 애들 하원, 하교할 때 픽업해서 저녁 7~8시까지 봐주세요. 그전에는 애 데리러 미친 듯이 뛰어가고 기관에서 제일 마지막에 데려오고 그랬는데 지금은 선생님이 봐주시고 애들도 익숙하니까 훨씬 편해졌어요. 돌봄 서비스 이용하기 전에는 두려움이 컸어요. 어떻게든 내가 키워야 한다고 생각해서 너무 힘들었거든요. 이런 제도를 적극적으로 활용하면 좋겠어요.”

애 키우면서 일하는 게 이렇게 힘들 줄 아셨나요? “원래는 애는 셋을 낳아야겠다 생각했어요. 그런데 낳아보니 모유 수유부터 너무 힘들더라고요. 내 시간을 이렇게 자유롭게 쓸 수 없다는 걸 그전까지는 한번도 경험해본 적 없잖아요. 내가 똥 마려울 때 똥마저도 자유롭게 싸지 못하는 상황(웃음). 상상도 못했죠. 제가 <분노와 애정>이라는 책을 좋아하는데요. 아이 키우면서 분노하는 감정과 애정이 왔다 갔다 하는데 그 둘이 공존하는 게 육아라는 걸 인정해야 하는데 분노의 감정을 자꾸 무시하다 보면 병이 생기는 거예요. 욱하고 애한테 화가 나는 것 같으면 그 책 꺼내서 줄 쳤던 부분 다시 읽어요.”

여성들이 계속 일하기 위해서 제도적으로, 사회적으로 개선됐

으면 좋겠다는 점 있을까요? "일하는 시간을 더 줄여야 해요. 가족 중 누군가 혼자서만 오래 일하니까 누군가는 일을 못하는 게 아니라 다들 나눠서 짧게 일하고 아이도 함께 키우면 좋겠어요. 아이 키우는 사람에게 가장 부족한 게 시간이니까요. 시간을 줄 수 있는 제도가 제일 중요한 것 같아요."

민정님에게 일이란 뭔가요? "저는 제가 쓸모가 많은 사람이라고 생각해요. 내가 잘할 수 있는 일을 찾아서 하고 없던 일도 만들고(웃음). 저의 쓸모를 찾는 게 제게는 일인 것 같아요. 일이 곧 나이고, 자아를 찾아가는 방향 중 하나인 거죠. 수익이 없으면 지속 불가능하니 그 길에서 수익이 나도록 노력하고 있고요. 아마 아이가 태어나지 않았다면 사진관은 안 했을 것 같아요. 다큐멘터리를 했겠죠? 방향은 달라졌지만 어떤 난관을 극복하면서도 할 일은 하게 된다고 생각해요. 이렇게까지 힘들 일인가, 이렇게까지 바쁠 일인가 싶은데 아이를 키우면서 극에 치달을 때까지 일을 해보니까 뭐든지 할 수 있을 것 같다는 생각이 들어요."

민정님을 버티게 하는 원동력이 뭐예요? "그러게요. 뭘까요. 저는 제가 사진 촬영한 걸 보고 손님들이 너무 좋은 시간이었다, 소중한 추억 남겨주셔서 감사하다는 이야기 때문에 힘들어도 계속 촬영하게 되는 것 같아요. 창작소 일도 누군가에게 좋은 위로가 되기도 하고, 사회가 좋은 방향으로 가는 데 어느 정도 보탬이 될 수 있다고 생각해요.
자영업 하면서 둘째 임신해서도 촬영 계속했던 게, 내가 일을 지속하면 누군가에게 선례가 되고 누군가는 겁내지 않고 일을 계속할 수 있겠다는 생각을 하면서 버텼어요. 그러다 번아웃이 왔지만요(웃음).
친구들 오랜만에 만나면 숨어서 혼자 고통스러운 친구들, 엄마들이 너무 많더라고요. 그런 친구들이 다양한 이야기 할 수 있도록 먼저 보여주는 게 중요한 것 같아요. 저도 그런 목소리를 내고 도움이 되고 싶어서 인터뷰에 지원했고요."

마지막으로 내 일을 지키고 싶은 엄마들에게 하고 싶은 말이 있나요? "잘 쉬어야 해요. 쉬기 위해서는 도움을 받아야 하고요. 도움을 잘 받는 것도 익숙해져야 하는 일이고, 도움을 잘 받다 보면 또 다른 누군가에게 도움을 줄 방법도 생기는 것 같아요. 새로 일을 다시 시작할 때 저는 잘 될 수도 있고 안 될 수도 있는데 잘 될 때까지 해보자고 생각해요. 실패를 하더라도 다른 방향으로 했던 일들이 지금 가는 방향에 어떤 식으로든 도움이 되더라고요. 자신감을 갖고 뭐든지 해보면 좋겠어요. 제일 중요한 건 '쉬는 것'으로 할게요(웃음)."

Interviewer's Note

민정님은 <내 일을 지키고 싶은 엄마들에게> 인터뷰 첫 신청자였다. 일하랴, 육아하랴 고군분투하는 일상 속에서도 자신의 이야기를 나누고 다른 여성들에게 도움이 되고 싶다는 민정님의 이메일을 읽고 가슴 벅찼던 기억이 난다.

민정님처럼 나도 양가 부모님의 육아 도움을 전혀 받을 수 없는 상황에서 나 자신과 남편을 갈아 넣으며 육아 집중기를 보냈다. 우리가 낳았으니까, 어떻게든 아이는 우리 둘이 키워야 한다고 생각했다. 예비 장치가 전혀 없으니 늘 벼랑 끝에 서 있는 기분이었다. 아이가 둘인 민정님은 더욱 그랬을 것이다.

내가 좋아하는 일을 오래 하기 위해서는 잘 쉬어야 하고, 쉬기 위해서는 도움을 받아야 한다고, 그래야 나도 누군가에게 도움을 줄 수 있다는 민정님의 이야기를 들으며 지난 시간이 떠올랐다. 나 자신을 너무 힘들게 했던 시간을. 뒤에 올 엄마들은 너무 힘들지 않게 버텼으면 좋겠다. 일도 육아도, 오래오래 해야 하니까.

/ 현진

일-육아 균형을 지킬 수 있는 일을 찾아서

박성혜

직장인(마케터) 10년, 가족 비즈니스 5년,
책방 창업 4년
40대 초반
자녀 2명(11세, 7세)

#마케터10년 #가족창업 #공동창업
#그림책방 #엄마의책방 #육아와일균형

엄마라는 역할과 일 사이에서 고민하던 엄마 셋이 모여 그림책방 노른자가 탄생했다. 작은 모임에서 시작해 일터를 넘어 아이와 함께하는 공간이 만들어졌다. 셋이기에 서로 각자의 전문 분야를 살려 업무를 분담하면서 육아와 일의 균형을 맞춰 나가고 있다. 머리를 맞대어 책을 만들고 지속가능한 책방 운영을 위해 난생처음 도서관 영업도 뛰었다. 엄마가 되어 새로운 일을 꾸려 나가면서 맞게 된 새로운 면면을 들여다보았다.

세 분이서 함께 노른자 책방을 운영한다는 사실이 인상적이었어요. 어떻게 만나게 되셨나요? "남편과 함께 동네에서 카페를 하고 있었는데 두 분 다 단골이었어요. 얘기하다 보니 다들 책을 너무 좋아하는 사람들인 거죠. 영등포구에서 독서 모임을 만들면 지원하는 사업이 있어 책 모임을 만들어 지원했는데 다 떨어진 거예요. 너무 아쉬웠죠. 말이 잘 맞고 좋아하는 게 같은 사람을 찾기 어렵잖아요. 그럼 우리 책 모임 계속하자 그렇게 해서 지금까지 확장이 된 거예요."

10년 동안 마케터로 일하셨는데 어떤 이유로 퇴사하고 남편과 카페 사업을 시작하게 됐는지 궁금해요. "영화 업계에서 일하다 대기업 온라인 마케터로 근무하면서 같은 회사에서 남편을 만났어요. 둘 다 나이가 있는 상태에서 결혼했어요. 회사에서는 암묵적으로 부부 둘이 같은 회사에 다닐 수 없다고 하는데 연봉이 더 높은 남편이 남는 게 낫다고 생각한 거죠.
사실 카페 일을 했으면 좋겠다고 합의를 하고 결혼을 했는데, 카페 준비를 하던 중에 바로 아기가 생겼어요. 카페 오픈하고 다다음 달에 출산했는데 일이 하고 싶었어요. 4~5개월 데리고 있다가 시가가 있는 제천에 아이를 보냈죠. 카페가 잘 되다 보니 남편도 회사를 나와서 같이 체인 사업을 시작했어요. 그런데 같이 있으면 일하다가 싸우게 되니까 나와서 딴 일을 해야겠다고 생각했어요.

그림 책방은 어떻게 시작하게 되셨어요? "둘째를 늦게 낳았는데 마침 아이와 함께 할 수 있는 일을 찾다가 독립하게 되었어요. 둘째는 발로 키웠어요. 첫째는 학습지를 2년 시켜도 겨우 한글을 뗄까 말까 했는데 둘째는 스스로 한글을 뗐거든요. 아무래도 엄마와 책방에서 보낸 시간이 많아 자연스레 영향을 받은 것 같아요. 책을 통해 만난 좋은 인연이 많아요. 그럴 때마다 이 일을 하기 잘했다고 생각해요. 속상한 일이 있을 때 집 나와서 갈 곳이 있다는 것도 좋은 점이죠."

음료가 가장 많이 남는데 왜 굳이 책만 파시나요? 이전에 카페를 운영하셨던 이력이 있으셔서 궁금했어요. "카페를 해봤잖아요. 몇 시부터 몇 시까지 한다 하면 무슨 일이 있어도 고객과의 시간을 꼭 지켜야 하거든요. 그런데 저희한테는 시간이 없어요. 애들이 5살, 8살. 남편이 또 카페를 하고 있는데 그럴 거면 남편이랑 일하지 굳이 밤 늦게까지 자리 지키며 책과 커피를 팔 수는 없다. 그럼 우리 거기에 신경 쓰지 말고 책만 신경 쓰자 합의를 보게 된 거죠."

동업이라는 게 쉽지 않을 텐데, 내부 가이드나 규칙도 있나요? "처음엔 다 하고 싶은 대로 하려고 막 달려들었는데 안 되겠더라고요. 저 포함 2명은 77년생. 1명은 나이가 좀 더 어려요. 근데 77년생 둘이 기가 세서 부딪치려는 조짐이 보이면 막내가 중재에 들어가죠. 2달씩 돌아가며 책방지기가 되어서 회계 정리하고, 책 사고, 결제하고, 세금계산서 발행을 돌아가면서 했어요. 편집자 출신 친구는 기획 일, 저는 마케팅 일을 해와서 홍보나 작가 섭외를 담당하고 있어요. 막내는 미술 선생님이었어서 인테리어나 북 큐레이션, 아이들 수업이 잘 맞아요. 각자의 역할을 암묵적으로 4년 동안 지켜져서 크게 싸울 일은 없었어요. 최근에 책 내면서 한번 싸운 게 전부예요.

얼마 전 그림책방 노른자에서 펴낸 첫 책이 나왔어요. "고정순 작가님의 에세이 <안녕하다>를 정말 좋아해요. 책방지기 모두 읽고 반해 저희 책방의 글 선생님이 되어달라고 했어요. 작년 하반기부터 일주일에 한 번씩 오셔서 10명 정도 참여해 글쓰기 수업을 오래 했어요. 편집자 출신인 책방지기 1호가 편집을 맡고 전 기획과 마케팅을 맡았어요. 간결하게 다 빼고 시집만큼 얇게 제작했어요. 처음에는 저희 책방에서만 팔다 지금은 이후북스, 책방비엥 등 약 열 군데의 독립책방에 입고했어요."

코로나 여파가 미치지 않은 곳이 드물겠지만, 동네 책방은 특히 직격탄을 맞았을 거예요. 책방에서 매일 프로그램이 운영되고 있었잖아요. 책보다 프로그램 수익이 더 크다고 들었는데 어떤가요? "요즘엔 줌으로 다 만나잖아요. 전 원래 아날로그적인 인간이라서 그게 익숙하지 않아요. 모일 수 없다 보니 필사, 글쓰기, 독서 모임은 네이버 카페랑 밴드로 전환했어요. 작은 책방이라 사람들이 많이 모일 수는 없지만 여러 소모임 위주로 돌아갔었거든요. 그런 모임들이 중단되고 나니 책방에 일부러 오시는 분들이 많지는 않아요. 어쨌든 사람들이 모여서 이야기도 나누고 모임도 진행되어야 책도 소개하고 판매로 이어지는데 온라인으로 모임이 전환되면서 수익으로의 전환도 완전히 끊긴 거죠. 모든 책방이 다 그래요. 특히 엄마들은 작은 모임을 통해 다른 사람들과 만나 교류가 이어지는 경우가 많아요. 상황이 이렇다 보니 코로나 사태에 책방이 살아남을 수 있는 방법을 찾으려 아등바등하는 중이에요."

온라인으로 진행되고 있는 모임은 무료로 진행되나요? "무료면 지속가능성이 떨어져요. 푸시맨이 있어요. '꼭 오늘은 써야 해', '오늘 주제는 이거야', '오늘 이 책 읽어요', '오늘 이 구절 필사해요'라고 말해주는. 약간의 수고비를 몰아주고 책임감을 부여하는 거죠. 아쉬운 건 우리끼리 즐겁게 책 읽고 대화하는 정도에서 끊기더라고요. 책방으로 모이지는 않는 거죠."

얼마 전에 책방이 이사를 갔는데 투자 비용도 많을 것 같아요. "저희 벌써 4년을 버텼거든요. 지금 이사 간 공간은 2층 후미진 곳이라 더 외지기는 해도 지하철역이랑 가까워 멀리서 찾아오시는 분들도 있어요. 세 명이 시간을 딱딱 분배해서 운영하다 보니 시간적인 부담은 덜해요. 아이들과 함께 책방에서 공부도 할 수 있죠. 우리 셋이 투자를 해서 듣고 싶은 수업을 유치하거나 강사를 모시는 것에 의의를 두고 있어요. 딱 월세만 내자. 다행히 지역 자치구에서 책방을 밀어주는 편이에요. 영등포구는 독립책방에서도 도서관에 납품할 수 있게 해주셔서 월세 걱정 없는 정도까지만 하고. 우리 좋아하는 작가 모시고 같이 공부하자는 생각인데 돈이 필요하기는 해요."

따로 또 같이 만들어가는 모두의 공간

세 분이 함께여서 그림책방 노른자가 지금까지 꾸준하게 이어지고, 책도 나오고, 새로운 시작점이 되었다는 생각이 들어요. 4년 전과 지금을 굳이 비교해 보자면 책방지기들은 서로에게 어떤 존재인가요? "함께 일해도 공적인 영역이 있어야 한다고 생각해요. 사적인 영역으로는 누구의 엄마이지만 내 이름을 걸고 할 수 있는 일이 분명 있어요. 그걸 야금야금 새로 만들어나가요. 예전에 회사에서 잘 나갔더라도 육아하면서 경력이 단절되고, 아이 둘 케어 하면서 특별히 시간을 내서 완벽하게 일할 수 있는 여건을 마련한다는 건 불가능해요. 아이와 함께 할 수 있는 일을 찾다 보니까 여기까지 온 거죠. 처음에는 공적인 영역이 작았지만 계속해서 넓혀가자. 내 이름 석 자 걸고 내 공간과 내 일을 스스로 만들자! 이런 생각을 공통으로 가지고 있었어요. 책이라는 소재를 가지고 우리 스스로 명함을 파고, 일을 만들고. 그렇게 해서 소소하게 쭉 가자. 그렇게 여기까지 온 것 같아요. 만약에 큰 목표를 가지고 시작했다면 중간에 그만뒀을지도 몰라요."

수익을 기대하면서 책방을 운영하기는 어렵지만 그림책방을 꿈꾸시는 분들이 많아요. 어려운 점이나 시작하기 전에 고민해야 할 지점처럼 현실적인 이야기가 궁금해요. "다들 건물주가 아니잖아요. 건물주가 아닌 상태에서 시작하면 월세랑 고정비가 항상 부담스러운 부분이에요. 저희도 멋진 공간에서 하얗게 뽀얗게 꾸미고 싶지만, 특히 독립책방은 또 다르거든요. 독립 서적을 취급하는 곳은 위탁판매 형태가 많아 책이 팔리면 입고한 제작자에게 돈을 지급해요. 그 외에 일반 그림책방이나 동네책방은 대부분 현금을 주고 책을 사입해 팔다 보니 초기 자금도 많이 들고 충분히 도서를 구비해서 시작하기는 어려워요. 특히 엄마들이 혼자 운영하기는 좀 힘들어요. 책 가격의 약 20~30%가 수입인데 물류비도 나가는 터라 만 원인 책을 팔면 이천 원 정도 남아요.
그 이외에는 계속 뭘 만들어야 해요. 모임비도 엄마들한테 많이 받을 수는 없어요. 최소한만 받되 사람들을 많이 모아서 책을 접할 수 있는 환경을 만들어야 한다고 생각해요. 소자본으로 모임을 혼자 운영하는 건 힘들어요. 마음 맞는 2~3명이 모여 같이 시작하는 게 좋아요. 저같이 애 둘 키우는 엄마가 뭔가 책방을 하고 싶어도 혼자 하기에는 초기비용과 고정비용이 많이 나가잖아요. 두세 명 협동조합 형태로 시작하는 거죠. 대신 아이들에게 사교육 하나 덜 시키고 내 시간 쪼개 아이들과 함께 책을 읽겠다고 생각하는 거예요. 물론 본전 생각나요. 시간 내서 책방 나갔는데 손님 많이 없으면 슬프죠. 그런데 이런 철학을 가지고 책방을 내면 작은 것에도 기뻐하게 되는 것 같아요."

그럼 책방의 수익 모델은 뭔가요? "책방에서 돈이 되는 프로그램은 납품 말고는 없어요. 시나 구에서 운영하는 도서관이 아니어도 동에서 운영하는 작은 도서관이나 보육센터에도 영업하러 가요. 구청에 담당과를 직접 찾아가기도 하고 아는 사람 통해서도 컨택하다 보면 납품 연락이 와요. 처음에는 힘든데 3년 지나면 영업 노하우도 생기고 거래처도 뚫게 돼요. 무작정 찾아가기도 했어요. 새로 입주한 아파트나 작은 마을문고, 관리소장님한테 소개서를 주면서 아이들 책 전문이니까 큐레이션 해서 납품하겠다고 발품 팔다 보면 연락이 와요."

엄마가 창업할 때 꼭 필요한 것은 무엇일까요? "어쨌든, 일이니까 돈을 벌어야 해요. 이건 생존과 연결되는 만큼 당연히 돈을 벌 수 있는 일을 해야 돼요. 나만 좋아서 하는 일은 이기적인 일이라고 생각해요. 저희는 돈은 많이 못 벌지만, 아이들 교육을 위해서 공간을 갖자고 시작했어요. 우리가 일을 만들어서 소소한 인건비를 가져가자. 여기까지 합의가 돼서 왔어요. 일은 이기적이지 않아야 해요. 생산성과 연결되어야 하죠. 아이들이 가끔 크게 아프거나 가정에 대소사가 생겨도 애들한테 신경 안 쓰고 일하기 때문에 이렇게 되었다는 자책을 하지 않도록 마음가짐을 단단하게 하는 공부도 필요해요. 저희가 심리학에 관심이 많아서 지금까지 관련 공부도 계속하고 있어요. 마음 무너질 때마다 번아웃 될 때마다 우리 아이가 이렇게 아픈 건 내가 신경 못 써서 그런 게 아니라고 서로 토닥이고 책도 공유해요."

나를 유지하는 동력은 무엇인가요? "저는 누구의 엄마로만 살 수 없는 사람으로 태어났다고 생각해요. 내 이름 석 자를 걸고 일을 하는 게 내 정신건강에도 좋아요. 아이들에게도 우리 엄마는 어떤 어떤 일을 해서 무언가를 만들어 내는 사람으로 인식되었으면 좋겠어요. 노력하는 엄마란 걸 보여주고 싶어요. 결국 나를 움직이는 동력은 일이라고 생각해요."

다른 인터뷰에서 무심한 듯 시크한 남편의 외조가 중요하다는 얘기가 와닿았어요. 어떤 에피소드가 있나요? "남편이 따로 도와주는 건 거의 없고요. 얼마나 번다고 책방 하냐는 이야기는 999번 들었어요. 999번 중 1번은 왜 안 들었냐면, 저희가 <한겨레 21> 특별호에 6페이지에 걸쳐 나왔거든요. 그림책 특집으로 엄마들끼리 동네 책방 하는 저희 이야기가 실린 건데요. 남편한테 그거 딱 들이밀면서 '나 이런 사람이야' 하니까 조금씩 달라지기 시작한 지 1년도 안 됐어요. 돈은 언제 벌어 오냐, 뭐 때문에 이러는지 모르겠다는 이야기에 증명해줘야 해요. 우리는 이런 사람이야. 우리는 이런 책도 냈어. 나중에 유명한 사람이 돼서 너희한테 인세를 줄 거야. 그럼 슬슬 세뇌를 당해요. 남편이 애들 케어하는 시간이 늘어나고, 밤에 외출하게 해주고. 점점 풀어주는 거죠. 처음에는 돈 못 번다고 계속 공격을 받으니까 계속 증명을 해나가야 해요. 내가 이런 사람이야. 이런 여자야."

엄마의 일이 지속 가능해지려면

아이들이 크면서 엄마 일을 존중해 주나요? "어릴 땐, 책방은 엄마 선생님, 같이 책 읽는 곳 이러다가 지금은 엄마가 공부하는 곳, 엄마가 돈을 버는 곳으로 바뀌었어요. 아이들이 책이라는 것에 대해 긍정적으로 생각하는 게 가장 좋은 면인 것 같아요. 그렇다고 공부를 잘하는 건 절대 아니에요. 책에 대해 인생의 동반자라는 생각을 갖고 있지만, 공부와는 너무 별개라 깜짝 놀라요(웃음)."

엄마가 일을 지속하기 위해 제도적으로도 개선되어야 할 부분이 많다고 생각하지 않나요? "영원히 바뀌지 않을 건데 가장 큰 문제가 하나 있어요. 무한경쟁 시대. 너무 과한 사교육. 저희 아이가 초등학교 4학년인네요. 내가 마음을 무장해도 아이들이 커갈수록 주변에 휘둘리게 돼요. 내가 일을 하면서 애한테 뭔가 결핍을 안겨주거나 교육적으로 뒷받침 못 해준다는 생각이 안 들어야 하는데, 온라인 수업하면서 못 따라가는 느낌이 드니까. 오전에 엄마는 일할 테니 넌 네 공부하라고 말하는 게 잘못일까? 하는 생각이 드는 거죠. 저는 코로나 때문에 학원에 보내지 말고 집에 있자 했는데 알고 보니까 다들 학교는 안 보내도 학원은 보내고 있더라고요. 경쟁에서 뒤떨어지지 않아야 한다는 강박이 있는 거죠.

이게 느슨하게 사회적으로 합의가 이루어지지 않으면, 저 혼자 어떻게 해서 바뀔 수 있는 문제는 아니라고 생각해요. 다행인 건 저와 같은 고민을 가진 분들이 많이 계세요. 그런 분들과 마음으로 연대하는 거죠. 예를 들어 아이를 종일반에 맡기려면 4대 보험이 있어야 하는데 저는 책방을 운영하는 개인사업자라서 해당하지 않아요. 다행히도 요즘은 초등학교 돌봄에서도 코로나 영향 때문인지 편의를 봐주세요. 조금씩 융통성을 발휘해서 내 일을 할 수 있도록 저와 맞는 사람을 만나는 게 제일 중요하다고 생각해요. 휘둘리지 않을 수 있도록.

엄마가 되기 전에는 이렇게 엄마로 살면서 일하는 게 힘들 거라 생각하셨나요? "양가 부모님이 멀리 사셔서 물리적으로 도움을 받을 수 없는 상황이라는 걸 알고 결혼했어요. 일해야겠다고 생각했기 때문에 첫아이를 4~5개월 무렵에 지방에 있는 시가에 보냈어요. 저는 일주일에 한 번, 남편은 한 달에 한 번씩만 아이를 보고 일만 했죠. 둘이 아침부터 밤까지 프랜차이즈 사업을 하면서 일에 파묻혀 살다 보니 아이가 아주 큰 영역을 차지하고 있진 않았던 것 같아요.

그런데 2년 정도 지나니까 부작용이 심하게 나타난 거예요. 시가에서 아이를 데려오니까 낯가림이 너무 심해서 3년 동안 안고 다녔어요. 엄청 예민해져 있어서 그걸 풀어주느라 애를 먹었죠. 앞으로 풀타임으로 근무를 할 수 없을 거란 생각이 들더라고요. 일을 위해서가 아니라 아이 때문에. 아이랑 떨어져 있었던 그 선택이 잘못됐다는 생각을 지울 수 없는 거죠. 이런 죄책감이 없어야 일을 할 수 있는데 아이가 예민한 건 나 때문이란 생각이 머리를 지배했어요.

아이가 사회성이 떨어지는 건 아닌지 고민하다가 자연스레 둘째를 생각하게 되었어요. 육아는 처음이니까 일만 생각했다가 벌어진 단점이 장점보다 아주 컸죠. 다들 경험하시게 될 거예요. 둘째는 웬만하면 아이와 같이할 일을 찾아야겠다는 생각 때문에 책방 창업을 선택한 것 같아요."

아이 때문에 풀타임은 포기하고, 일과 육아를 같이 할 수 있는

일로 전환하셨잖아요. 그 와중에도 일을 놓으면 안 되겠다는 마음이 보여요. 가장 힘들었던 부분이 무엇인가요? "일을 지속하려면 연속성이 있어야 해요. 두세 시간 안에 처리해야 할 게 있고 나름의 스케줄이 있는데 계속 끊기면 화가 나요. 글을 확인하고 메일 보내고 선생님께 연락하는 와중에 계속 끊겨요. 그럴 때마다 돈도 못 벌고 뭐 하자고 이러는 걸까. 이런 생각이 매일 드는 거예요. 애가 크면 좀 나아지는데 계속 생각지 못했던 일이 생기는 것 같아요. 이 모든 것은 나 때문이라는 자책에서 벗어나야 하는데 쉽지 않아요. 연속성이 계속 떨어지는 게 제일 힘들어요."

엄마의 삶에 변수는 고정값이지만 코로나로 올 한해 예측불허한 매일을 보냈던 것 같아요. 비대면 시대에 오프라인 공간은 직격탄을 맞을 수밖에 없었는데요. 그럼에도 여전히 책방을 운영해 나가게 만드는 원동력은 무엇인지 궁금해요. "재미있으니까요. 작은 동네 책방이 어디까지 이익을 낼 수 있고 어떤 모습까지 갈 수 있는지 시험해 보고 싶어요. 요즘 직접 찾아오는 손님은 많지 않으니 일종의 충성도가 높아졌다는 걸 체감해요. 그림책 심리학이나 글쓰기 수업, 작가와의 만남 등의 호응도가 높아서 모객하면서 반응을 보거나 문의가 들어올 때 너무 짜릿하거든요. 엄마들이 관심을 가지는 분야가 비슷해진 것도 있고요. 트렌드를 잡았다고나 할까요. 그림책이나 심리, 글쓰기 등 공부하고 싶어 하는 분들이 많아요. 저희끼리 하고 싶은 게 아직도 너무 많아요. 그게 내년에도, 내후년에도 뭔가 할 수 있게 만드는 원동력이 아닐까요. 내년에는 글쓰기 수업 시즌 3을 진행할 예정이고 온라인 글쓰기 동무들이 벌써 20여 명 가까이 되기 때문에 또 책을 내고 싶어요. 그림책 심리학은 계속 수업 요청이 많고요. 아이들과 생태 그림책 미술 수업을 해봤는데 너무 반응이 좋아서 지속적으로 커리큘럼을 견고히 해볼 계획이에요. 도서관과 백화점 문화센터 특강도 잡혀 있고 그림책 워크숍도 크게 열어보고 싶어요."

내 일을 지키고 싶은 엄마들에게 전하고 싶은 이야기가 있나요? "나도 왕년엔 어땠는데 추억에 잠길 때도 있어요. 그런데 이왕 이렇게 된 거 균형을 키우셨으면 좋겠어요. 뭐든 과하면 선을 넘게 되더라고요. 아이와 나, 일과 가정의 균형을 지킬 수 있는 그런 일을 시작했으면 좋겠어요. 그렇다고 해서 소심하거나 소박하게 찾기보다 잘할 수 있는 일 중에서 균형을 잡으시면 좋겠어요."

Interviewer's Note

한배를 탔다고 말하는 남편과도 매일 서로의 다름을 피력하느라 피 터지는데 타인과의 동업은 더 어려운 일이 아닐까 생각했다. 그러나 엄마라는 특수한 상황은 서로에게 동업자를 넘어 가장 큰 조력자가 되는 동력이 되었다. 아이는 예고하고 아프거나 다치지 않는다. 엄마의 삶에는 겪어보지 않으면 알 수 없는 온갖 변수가 작용한다. 엄마가 되고 나서 겪어보지 않은 일에 대해 더욱 신중한 태도를 가지게 되었다. 말하지 않아도 단번에 상황을 파악하고 부재를 메꿀 수 있는 새로운 인생의 동반자가 필요하다. 엄마로 여성으로 무엇보다 내 일을 지켜나가고 싶은 한 사람으로 서로에게 절대적인 지지를 보내는 동료를 만나는 건 큰 축복이다. 아이가 없는 것처럼 일하는 것이 아니라 아이와 나의 일을 같이 키워갈 방법을 모색하게 된다. 엄마가 되어 연대하는 여성들을 많이 목격하게 된다. 서로의 취향과 관심사는 천차만별 일지언정, 아이와 일의 균형을 맞춰가며 잘 키워나가고 싶은 마음은 같다. 그 강력한 하나의 공통점이 엄마라는 연대를 더욱 강하고 효율적으로 만든다고 생각한다. 분명 아이로 인해 포기해야 하는 것도 있지만 그 지점을 변화의 시작점으로 만들 수 있다는 걸 성혜님을 통해 다시 한번 깨닫는다.

/ 유미

창업하자마자 임신, 어떻게 일했냐면요

조현주
직장인(디자이너) 14년, 창업 2년
30대 후반
자녀 1명(22개월)

#스타트업창업 #14년직장인 #퇴사
#100%원격근무 #엄마의속도 #커뮤니티

'스타트업 대표'라고 하면 오직 일에만 매달린 채 모든 시간과 에너지를 갈아 넣는 모습을 상상한다. 여기 14년 직장인 생활을 마치고 야심차게 창업하자마자 임신 사실을 알게 된 여자가 있다. 병원동행·면역처방 서비스 '디어라운드' 대표 현주님은 임신과 출산을 거치면서 22개월 아이와 회사를 동시에 키워냈다. 최근에는 시드 투자도 유치했다. 어떻게 가능했을까. 현주님이 들려준 이야기는 여느 '슈퍼맘' 스토리와 달랐다.

창업한 지 얼마 안 돼서 임신하셨다고 들었어요. "2018년 1월에 제가 퇴사를 했고 2월에 디어라운드 법인을 설립했는데 3월에 임신 사실을 알았어요. 결혼 7년 만에요. 결혼 초기에는 아이 가질 생각이 없었고 그 후에는 가지려 해도 갖기 어려워서 한참 스트레스받았어요. 그러다 그냥 아이가 생기면 갖고 우리가 살고 싶은 대로 살자고 생각하고 있었어요. 창업을 했고 뭔가 선언을 해야 할 것 같은데 그 선언이 제게는 법인 설립이었어요. 사업을 잘 모르니까 더더욱 제대로 시작해야 한다는 생각으로 법인부터 낸 거예요. 스타트업들이 모여 있는 공유 오피스 '위워크(WeWork)'에도 등록해서 사무실 비용 나가고 있는데 임신이 됐어요."

10년 넘게 직장 생활만 하다 창업하셨는데요. 창업을 결심한 계기가 있을까요? "디자이너로 계속 일하다 2016년부터 '와디즈'라는 스타트업에서 브랜드 총괄하는 일을 했어요. 2018년에 회사가 성장하면서 새로운 사람도 많이 들어오고 조직이 급변하는 시기였어요. 와디즈라는 조직 자체가 크라우드 펀딩 하는 곳이니까, 정말 아무것도 없는 사람들이 자기 아이템만 가지고 펀딩받는 모습을 보게 되잖아요. 그런 분들 보면서 창업이라는 게 유니콘 이런 것보다는 보통 사람들이 할 수 있는 거라는 생각이 들었어요. 우리 아빠가 1970년대에 카센터 창업한 것처럼 우리 시대에는 온라인으로 가게 여는 게 보통 일이 되겠구나. 제가 사업가 기질이 있어서라기보다는 그냥 한번 해보자는 생각으로 창업을 했어요."

배 속 아이 덕분에 창업 교육

창업하자마자 임신이라니…. 멘붕이었을 것 같아요. "임신하고 몸이 많이 바뀌잖아요. 임신 초기니까 잠도 쏟아지고. 또 초기 검진에서 자궁에 근종이 발견됐는데 암일 수도 있다는 진단을 받아서 검사 결과 기다리는 내내 걱정이 너무 많이 됐어요. '아기 잘 키울 수 있도록 몸 관리나 잘해야 하는데 내가 괜한 욕심을 부린 걸까. 괜히 법인부터 낸 걸까. 이걸 어떻게 처분하지' 생각했어요. 다행히 검사 결과가 괜찮았지만요. 원래 제 계획대로라면 2018년 중순쯤에는 결과물이 나와야 하는데 생각했던 속도로 갈 수 없었어요. 정부 지원 사업도 계속 탈락하고요. 그렇게 실패하고 좌절하고 있는데 남편이 너무 높은 단계에 지원해서 안 된 걸 수도 있다며 구글코리아에서 운영하는 '엄마를 위한 캠퍼스'(구캠) 프로그램에 지원해 보라고 하더라고요. 배 속에 있는 아이 덕분에 창업 교육을 받게 된 거죠. 그게 2018년 7월이었어요."

참여해보니 어떠셨어요? "보통 임신하면 베이비 페어를 가거나 맘카페에서 아이가 주인공인 대화를 하잖아요. 구캠 가니까 100일

된 아이 안고 오신 분도 계시고 제가 만나고 싶은 사람들이 다 있더라고요. 임산부가 왜 왔지? 그런 시선도 없었고요. '내가 너무 유별난 거 아니구나' 싶었죠. 사실 저희 엄마가 저한테 맨날 하는 이야기가 '노니까 애가 생겼다'고 하거든요(웃음). 퇴사 후 창업하고 2018년, 2019년 내내 저는 엄마에게 노는 사람이었어요. 지금도 새벽에 일하다 늦게 자서 아침에 못 일어나고 있으면 '새벽에 뭐 했냐'고. 엄마는 제가 하는 일을 여전히 이해 못하시는 거예요. 구캠은 저랑 비슷한 다양한 엄마 창업가들이 모여있다는 지점에서 존재만으로도 용기를 주는 커뮤니티예요."

첫 직장 생활은 언제 시작하셨나요? "2004년. 대학 4학년 여름부터 인턴십 통해서 했어요. 불안정한 20대를 보냈기 때문에 빨리 사회에 나가서 인정받고 돈 벌고 싶었어요. 제가 직장 생활 시작할 때만 해도 디자인이 도제식이었어요. 잘 나가는 디자인 회사 가서 디자인 장인의 철학과 스킬을 배운다는 개념으로 생각하고 디자인 일을 시작했어요. 장인이 되려면 당연히 밤낮없이 일하면서 온 힘을 다해야 한다고 생각했죠. 10년 동안 디자인 에이전시 두 군데서 일했고 조직의 장까지 됐어요. 그런데 막상 제가 후배들을 가르치려고 하니까 불편한 거예요."

어떤 점이 불편하셨어요? "비용을 적게 받으면서 많은 일을 해야 한다는 게 불합리하다는 생각이 들었어요. 밤낮없이 일하니까 건강을 좀먹더라고요. 그런 모습 보는 게 불편했고 그 와중에 제 몸도 고장이 났어요. 뒷골이 확 당기면서 뇌에 이상이 생기는 것 같은 증상이 나타나니까 겁이 나더라고요. 사실 그것 말고는 다 좋았어요. 조직 분들도 좋고 팀워크도 좋아서 일이 5~6개 한번에 돌아가는데도 잘 진행됐어요. 그런데 다 포기하고 나왔어요. 직급으로 불리는 것보다는 다른 삶을 살고 싶더라고요. 그다음으로는 브랜딩 컨설팅 회사인 '제이오에이치(JOH)'에 들어갔어요. 그전에 있던 곳이 IT 기반의 디자인 에이전시였다면, 이곳은 로고 만들고 슬로건 만들고 브랜드 만드는 회사였어요. 같은 디자인 일이지만 새롭더라고요. 사실 저는 그동안 외주 작업하면서 다양한 클라이언트 만나고, 클라이언트가 자신들의 장점을 발현할 수 있도록 지원하는 게 즐거웠어요. 그런데 어느 순간 외주로 디자인하는 걸 그만하고 싶더라고요. 스타트업 들어가서 인하우스 디자인해 보면 어떨까 싶었죠."

그러다 와디즈에 들어간 건가요? "제가 와디즈에 들어갔을 때 직원이 20명 정도였어요. 와디즈 면접 보고 고민하고 있는데 갑자기 엄마가 수술했는데 종양이라고, 큰 병원 가서 수술해야 한다고 하더라고요. 엄마가 입원해 있는 3개월 동안 제가 엄마를 지킬 수밖에 없었어요. 삶이 완전히 180도 뒤집히는 경험이었죠. 그때는 다른 걸 생각할 수 없었어요. 엄마 병원 다니는 거 쫓아다니고 계속 지켜주고 관리해주는 사람이 된 거예요. 엄마가 걸린 암이 근육암이었는데 암 제거밖에 답이 없었어요. 다행히 잘 회복이 되셔서 아빠에게 엄마를 맡기고 저는 바로 와디즈에 출근했어요."

보통 이런 일이 생기면 꼭 딸이나 며느리가 돌봄 노동을 하더라고요. 돌봄 노동의 책임이 여성에게 쏠리는 것 같아요. "생계라는 게 있고, 고정적으로 생계를 짊어지는 사람이 보통 남자들이니까요. 제가 그때 직장을 다니고 있었다면 어땠을지 모르겠어요. 가족들이 보기에는 놀고 있는 것 같으니까 다른 선택권이 없었죠. 남녀의 차이도 있지만 직장이라는 고정된 테두리 안에서 누군가를 돌보는 삶은 쉽지 않아요. 아픈 사람이든 노인이 됐든 아이가 됐든 장애인이 됐든. 누군가를 돌보는 건 엄청 불규칙한 일이잖아요."

3개월 만에 다시 회사에 들어간 건 커리어가 단절될 수도 있다는 두려움 때문이기도 했나요? "지금 생각하면 3개월이 뭐라고, 싶은데 사람이 부정적으로 생각하면 모든 게 다 안 될 것 같더라고요. 환자가 감정이 가라앉으면 옆에서 간병하는 사람도 함께 다운되잖아요. 다른 삶을 그릴 수 있을까 두렵고 오래 쉬어서 손이 안 움직이면 어쩌나 싶고요. 일을 놓지 않고 쫓아가야 전문성을 유지할 수 있다고 생각했던 것 같아요."

결과적으로 그때 간병 경험이 병원 동행 서비스라는 '디어라운드' 창업 아이템이 된 거죠? "엄마를 돌봤을 때 느꼈던 경험이 불편함으로 남아 있었어요. 제가 일을 하면 100% 올인하는 스타일이거든요. 앞으로 아이가 생길 수도 있고, 돌봐야 할 사람이 늘어나면 늘어났지 줄어들지는 않을 텐데, 나도 늙고 병들 텐데… 두렵더라고요. 남편이 약사라 헬스케어 쪽에 관심이 많았고 언젠가 창업을 해보고 싶어 했어요. 저도 와디즈라는 스타트업에서 여러 경험을 하면서 관심사가 다양해진 상태였고요. 그럼 우리 엄마가 아팠던 경험이 왜 불편하고 두려운지, 이것부터 건드려보자. 그게 창업의 큰 기둥이었어요."

딱 하루 3시간만
일하는 거예요

다시 임신 얘기로 돌아갈게요. 보통 임신은 여성 커리어에서 쉬어가는 시기라고 생각하잖아요. 엄청 워커홀릭이었는데 엄마의 속도로 일하는 게 답답하지 않으셨어요? "창업 후 주말도 없이 일했는데 임신 후에는 평일에도 일할 수 없는 시간이 많아지더라고요. 손발이 묶인 느낌이었죠. 저는 저를 만드는 사람이라고 표현했는데요. 진짜 만들기만 한 거예요(웃음). 사실 회사 다니면서는 회의하고 조직원 관리하고 결과물 내고 그거 끝나면 또 그다음. 좋은 걸 만들어내기만 했지 생각할 시간을 보내지 못했어요. 그러니까 세상에 할 말이 없는 거예요. 남들이 이런 거 말하고 싶다고 하면 '그래? 이렇게 이야기하면 더 효과적으로 말할 수 있어' 이건 잘하는데 정작 나의 알맹이는 부재중이었어요. 그런데 임신 시기에 뭘 할 수가 없으니까 가만히 누워서 생각하거나 오디오북을 계속 들었어요. 책 읽는 건 손 아프고 라디오는 지루했거든요. 창업, 경영, 돌봄 노동, 존엄사 관련 책을 찾아서 들었어요. 읽기 어려운 책 틀어놓고, 육아 관련된 것도 틀어놓고 빨래 개면서, 아이 옷 정리하면서 듣고요. 너무 힘들면 누워서 듣고 졸리면 자고요. 그 과정에서 인풋이 많았어요. VC(Venture Capital, 투자회사) 시장에서는 여성 대표의 임신을 리스크라고 말하기도 하는데요. 저한테는 임신 기간이 제 자신을 다질 수 있는 좋은 시간이었어요."

임신 기간 중에 창업 관련 일은 어떻게 하셨어요? "위워크에 공간을 얻었는데 일하기에는 너무 좋은 공간이었어요. 그런데 임산부한테는 편한 공간이 아니더라고요. 저한테 가장 편한 곳은 집이었어요. 저는 집에서 일을 절대 못 하는 사람이었는데 강제 재택근무에 들어갔어요. 집에서 쉴 수 있는 공간과 시간을 60~70% 정도로, 나머지 30%는 업무 공간과 집중 근무 시간으로 정했어요. 계속 누워 있다가 컨디션이 회복됐다, 이때쯤 일할 수 있겠다 싶으면 딱 하루 3~4시간만 일하는 거예요(웃음). 글을 쓰거나 사업 계획서 쓰거나 세무서에 뭐 내거나. 나머지는 누워 있거나 걷거나 걸으면서 생각하거나. 그

버릇이 지금도 남아 있어요. 집중 근무 시간에 딱 일을 하려면 해야 할 일과 데드라인을 잘 기록해 놔야 해요. 장기 플랜을 세우는 거죠. 오늘 못 하면 내일 해도 되지만 책상에 앉아서 할 수 있는 날이 되면 그날 꼭 하는 거예요. 예전에는 서류 작성하느라 일주일 정도 앉아 있었다면 지금은 1시간 안에라도 그냥 빈칸을 채워요. 그걸 기반으로 다음번에는 완성도가 높아지고, 그 다음번에는 또 완성도가 높아지고. 퀄리티에 집중하기보다는 끝내는 데 집중하려고 했어요. (물통을 보여주며) 이 물이 있으면 투명한 게 목표가 아니라 채우는 게 목표인 거예요. 물을 채워서 일단 뚜껑을 닫는 게 중요한 거죠. 예전이라면 상상도 못할 일이죠."

출산 후에는 일하기가 더 힘들어지잖아요. "상상 이상으로 힘들었어요. 우울감도 심했고요. 이소라 노래 들으면서 매일매일 아이 목욕을 시켰어요(웃음). 드라마 <남자친구> OST 노래 있거든요."

아니, 대체 왜 이소라 노래를(웃음). "그 노래가 다운되는 노래예요. 서정적이고. 아이가 있어서 좋은데 어렵고 힘들고…. 우울한 마음에 안식을 주더라고요. 씻기는 거, 손톱 깎는 거. 너무 힘들더라고요. 왜 새벽에 똥을 두 번씩 쌀까. 아기 똥도 무서웠어요. 그래도 출산 후에도 임신했을 때랑 똑같이 하루 최대 3시간은 책상에 앉아 있을 수 있는 시간을 확보하려 했어요. 친정엄마나 산후 조리사 도움을 받아서요. 2018년 말에 출산하고 이듬해 바로 '청년창업사관학교' 지원 대상에 선정됐는데 지원서 작성을 마감 한 달 전부터 했어요. 무슨 일이 생길지 모르니까요. 중요한 이벤트가 있으면 훨씬 이전부터 준비해요."

아이가 생후 백일도 안 돼서 요로감염에 걸렸다고 들었어요. "그때 아이가 병원에 실려 갔는데 2주일 동안 아무것도 못 했어요. 애가 아프면 모든 삶이 중단되더라고요. 그때 느낀 게, 다른 스타트업은 저런데 우리도 빨리 성장해야지 그런 것보다는 우리 아이 안 아프고, 우리 엄마 나 대신 아이 보면서 우울증 걸리는 상황 안 생기도록 오전에 가족과 보내는 시간을 더 늘려야겠다고 생각했어요. 그때부터 나는 하루 4시간 이하밖에 일을 못한다고 선언했어요. 아이 패턴이 주기적으로 변하니까 어떤 날은 아이 낮잠 자는 시간에, 어떤 날은 아이가 새벽 3시에 깨면 새벽 3시부터 새벽 6시까지 일하는 거예요. 되도록 아이 컨디션에 맞췄어요."

답답하지 않으셨어요? "그 정도로 사업이 속도를 내고 있는 상태가 아니었고 속도를 내서 일한다고 저희가 이 돌봄, 헬스케어라는 영역을 선점할 수 있다고 생각하지 않았어요. 준비하는 데 시간도 많이 필요하고요. 내가 1등을 하겠다고 마음먹으면 조급해지고 실패하면 안 된다는 생각이 들겠지만 저는 실패를 하겠다는 마음을 먹고 이 사업을 시작했어요. 남편이랑 항상 하는 이야기가, 지금 이걸 실패하면 이걸로 어떤 다른 걸 할 수 있을까예요. 가장 큰 힘을 주는 사람이 남편이에요. 실패해도 괜찮다고, 이것도 해보고 안 되면 다른 것도 해보자고 용기를 줘요. 창업은 실패의 연속이라고 하잖아요. 계속 실패하고 두렵고 안 될 것 같고. 남들이 볼 때는 '쟤 뭐하는 거야' 같은 삶의 연속인데 그때 나를 지지해주는 사람이 있으면 큰 힘이 되는 것 같아요."

100% 원격근무라고 들었어요. 하루 일과가 어떻게 되세요? "친정엄마가 바로 근처에 사세요. 오전 10시쯤 엄마가 저희 집에 오셔서 저는 일하면서 같이 애 보고, 낮 12시부터 오후 6시까지는 엄마가 아이를 엄마 집에 데리고 가서 보세요. 그 시간에 저는 집중해서 일을 하는 거죠. 오후 6시 되면 제가 엄마 집으로 아이를 픽업하러 가서 같이 밥 먹고 집에 돌아와서 애 씻기고 재우고요."

직원들과 업무 조율은 어떻게 하세요? "주도권을 많이 드리려고 해요. 아예 분리해서 나눠요. 이 일은 제가 알아서 할 일, 이 일은 네가 알아서 할 일. 이런 식으로요. 좋은 인력은 관리가 필요 없는 것 같아요."

원격 근무를 했기 때문에 코로나라도 업무 형태에는 큰 변화가

없겠네요. “업무 형태는 같은데 병원동행 서비스를 한동안 멈췄었어요. 지금은 재개됐고요. 그러면서 그동안 준비했던 면역 처방 서비스를 새롭게 론칭했어요. 창업에서는 유연함이 중요한 것 같아요.”

제가 원하는 회사를
제가 만들어야죠

엄마가 되기 전과 후, 커리어가 어떻게 달라졌나요? “엄마가 되기 전에는 디자이너였는데 이제는 사업하는 사람이 된 거죠. 창업하면서 저한테 없는 기술을 계속 발굴하게 되는 것 같아요. 저는 디자이너니까 만드는 것만 했지 만든 걸 팔아본 경험은 없잖아요. 제가 일을 따온 경험도 없고요. 그래서 작년에는 저를 계속 파는 사람, 장사하는 사람, 돈 버는 사람이 될 수 있도록 몰아넣었어요. 공부도 하고 사람도 만나고요. 지금도 많이 알지는 못하지만 내가 이만큼 모르는구나는 알아요. 제가 세상을 너무 만만하게 봤더라고요. 회사 다닐 때는 회사 안에서 잘하면 누군가 그냥 나를 알아봐 줄 거라고 생각했어요. 나를 알리고 파는 것에 대해서 부정적으로 생각했죠. 지금은 조현주는 못 팔아도 디어라운드는 팔 수 있을 것 같아요. 사실 이런 인터뷰도 예전 같았으면 ‘내가 뭐라고’ 이랬을 것 같아요. 그런데 저랑 비슷한 사람이 뭔가 고민을 하고 있을 텐데 그 사람한테 제 이야기하면서 대화를 나눌 수 있다는 게 즐거운 것 같아요. 누군가 욕을 할 수도 있겠지만 세상이 그만큼 저한테 관심이 없더라고요(웃음). 지금 하는 일이 실패할 수도 있지만 실패도 내 삶의 일부잖아요. 나를 위한 기록이라고 생각하니까 의미가 있는 것 같아요."

그런 의미에서 커뮤니티 활동도 열심히 하시는 것 같아요. "최근에 'FDSC(페미니스트 디자이너 소셜 클럽)'에서 제가 소모임을 열어서 '디자이너의 창업하기'라는 주제로 발표를 했어요. 저는 디자이너로 10년 넘게 일했던 사람이니까 디자이너들이랑 이야기하고 일하는 게 제일 편하고 익숙하더라고요. 원격 근무하고 있으면 사람이 고플 때가 있어요. 그럴 때마다 찾는 곳이 FDSC도 있고, 구캠 엄마 창업가분들이랑 이야기하면서도 힘을 얻어요. 조직 생활을 하지 않아도 내가 나라는 존재로 연결되는 게 큰 힘이 되더라고요."

일하는 엄마로 살면서 어떤 점이 가장 힘든가요? "힘들죠. 진짜 엄청 힘들어요. 그런데 과거에는 그냥 힘들기만 했다면 지금은 아이가 생겨서 오히려 일과 생활에 밸런스가 생긴 것 같아요. 일 자체가 삶이 되고, 삶 속에 아이가 섞여 있고요. 아무래도 요즘은 아이가 재접근기라 그런지 계속 엄마를 찾는데 마음이 아파요. 친정엄마한테도 미안하죠. 엄마가 아파서 결심한 창업 아이템인데, 이제 건강 좀 회복됐다고 엄마가 애 보느라 중노동을 하고 있으니까요."

엄마들이 계속 일하기 위해 어떤 점이 사회적, 제도적으로 개선돼야 할까요? "저는 원격근무하는 회사가 많이 늘어났으면 좋겠어요. 저는 이제 원격근무가 적응돼서 너무 편하거든요. 꼭 직접 얼굴 보고 만나자고 하시는 분들이 계시는데요. 직접 만나야만 좋은 사람을 만날 수 있는 건 아니거든요. 원격근무하면 이동 시간도 아낄 수 있고, 가족이랑 더 많은 시간을 보낼 수 있고요. 많은 회사에서 직원이 혹시 일을 안 할까 두려워 하는데 오히려 원격근무는 결과가 더 티가 나요."

현주님에게 일이란 어떤 의미인가요? "저를 계속 발견해내는 과정인 것 같아요. 그전에는 몰랐던 영업하는 나, 경영할 수 있는 나, 돈을 벌 수 있는 나를 발견해내는 과정인 거죠. 제가 만드는 사람에서 돈 버는 사람으로 변화해야 디어라운드도 살아남고, 유연하게 일하면서 아이도 키우고 돈도 벌 수 있지 않을까요. 이런 회사가 잘 없잖아요. 제가 원하는 회사를 제가 만들어야죠."

마지막으로 내 일을 지키고픈 엄마들에게 하고 싶은 말 있을까요? "생각하시는 게 있으면 작게라도 뭘 해보셨으면 좋겠어요. 글로 써도 되고 실제로 만들어도 되고. 목소리를 내면 '너 그거 하고 싶어?'하고 나를 두드려주는 사람이 있을 거예요. 이야기를 안 하면 아무도 몰라요. 본인도 내가 뭘 하고 싶은지 모를 수 있고요. 용기 내서 뭐라도 하면 실패하더라도 작은 실패들이 모여서 또 다른 일이 벌어지는 것 같아요. 굳이 일이 아니더라도 내가 행복하려면 뭘 해야 하는지 구체적으로 생각하고 말했으면 좋겠어요."

Interviewer's Note

현주님과 만났을 때 나는 퇴사 후 창업을 고민하고 있었다. 하고 싶은 일은 명확했지만 여전히 아이가 어린 상황에서 창업은 욕심 아닐까? 과연 내가 스타트업 대표처럼 일할 수 있을까? 가족들은 괜찮을까? 무한 고민에 빠져있었다. 인터뷰를 가장해 현주님께 고민 상담을 했다. 임신 후 하루 3시간만 일하려 했다고, 물이 깨끗하지 않더라도 기한 내에 물통을 채워서 일단 닫는 걸 목표로 했다고, 그러다 보니 점점 퀄리티가 올라가더라는 현주님의 경험을 들으며 창업자가 일하는 방식은 다양할 수 있다는 걸 깨달았다. 꼭 무슨 무슨 스타트업처럼 일해야 하는 게 아니라 나만의 속도와 방식으로 일해도 괜찮다는 걸. 물론 포기해야 할 것도 있겠지만 그만큼 얻는 것도 있다는 걸. 사업을 하면서 지금까지 몰랐던 새로운 '나'를 발견해가고 있다는 현주님의 목소리에서 기분 좋은 자신감이 느껴졌다.

/ 현진

'애플맘'이라는 새로운 자아

정민지
애니메이션 감독 10년(한국), 프리랜서 4년(네덜란드)
30대 중반
자녀 1명(17개월)

#네덜란드 #결혼이주 #프리랜서
#아티스트 #풀타임전업맘 #독박육아

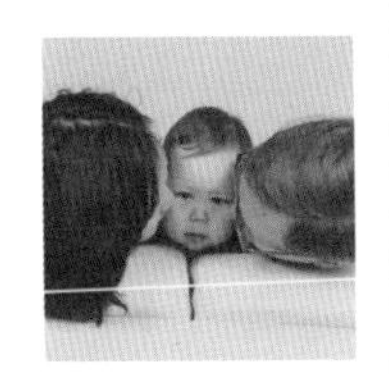

다음 생에서나 해볼까 했던 결혼을 이번 생에 택하면서 혹독한 내적 방황을 겪었다. 아이의 생물학적 엄마로만 남고 싶지 않아 퇴사를 하고 남편이 있는 지역으로 왔다. '남편 따라 온 여자, 경단녀, 결혼이주여성.' 순식간에 생판 모르는 남이 붙여준 온갖 수식어가 따라붙었다. 내 나라에서도 이렇게 힘든데, 머나먼 네덜란드에서 '애플맘'으로 맞이한 새로운 세계를 그려나가는 민지님의 인스타툰은 고단한 일상의 버팀목이었다. 똑같은 크기의 천국과 지옥이 공존한다는 육아의 세계. 아이를 돌보는 틈틈이 떠오르는 아이디어를 노트에 기록하고 잠잘 시간을 쪼개 작업한다는 민지님의 이야기를 들으며, 우리는 랜선친구를 넘어 육아 동지로 또 보이지 않는 전우애로 연결되었다.

인생의 항로를 바꾼
결혼

안시 국제 애니메이션 페스티벌에서 남편을 만나게 되셨다고 들었어요. "제가 만든 작품이 프랑스 안시 국제 영화제 경쟁 부문에 선정되면서 처음 유럽에 가게 되었어요. 남편을 처음 만났을 땐 서로 내 스타일은 아니라고 생각했어요. 남편이 제 명함에 적혀진 메일 주소를 보고 먼저 페이스북 친구 신청을 해서 수락하고, 축제가 열리는 5일 중에 딱 하루 봤던 게 다예요. 다시 한국으로 돌아와 대학원과 직장 생활에 전념하면서 까맣게 잊고 살았는데 어느 날 페북 메시지를 받았어요. 남편이 한국에 가는데 만날 수 있겠냐고. 1년 넘게 답을 안 했어요. 부담스러워서. 1년 뒤에 이제 봤다고 답장을 했는데, 다음에 한국 가면 가이드 해달라고 하더니 진짜 온 거예요. 영화제 이후로 6~7년 만에 서울에서 만났는데 못 본 사이에 짜잔 훈남이 되어 나타났어요. 그 하루가 끝날 때쯤 한강 유람선에서 남편이 한국에 머무르는 5일 동안 매일 만나주지 않겠냐고 해서 추억을 쌓고 헤어졌어요. 사실 남편을 만나기 전부터 미국이나 네덜란드에서 석사 과정을 밟으려고 준비하고 있었는데 화상으로 대화하며 장거리 연애를 3년이나 하게 된 거예요. 결국 저는 미국에 있는 학교에 합격해 미국에서 혼자 일하면서 공부하려고 이별을 통보했어요. 그런데 남편이 네덜란드에서 잘 다니고 있던 직장을 그만두고 저를 따라 미국까지 오겠다는 거예요. 제 유학 자금도 도와주고요. 미국에서 일 못 구하면 어떡할 거냐고 물으니 공원 청소 일이라도 하면서 옆에서 제 유학 생활을 돕겠다는 말에 진심이 느껴졌어요. 결국 제가 미국행을 포기하고 결혼해서 네덜란드로 와서 산 지 4년이 됐네요. 그랬는데 육아 하다 보니까 되게 많이 싸우더라고요."

네덜란드로 가기 전에는 어떤 일을 하셨나요? "한국에서 애니메이션 감독으로 일하며 이런저런 프로젝트를 진행했어요. 네덜란드에 와서는 몇 년 동안 공립학교 김나지움에서 애니메이션 강의도 했었고요. 출산, 육아 등의 이유로 현재는 애니메이션 프로젝트보다 시간이 짧게 걸리는 일러스트·그래픽 디자인·인스타툰 등의 작업을 프리랜서로 하면서 동시에 풀타임 전업 엄마로 지내고 있어요."

두 분이 같은 분야에서 일하다 만나셨잖아요. 남편은 애니메이션 분야에서 일을 계속하시나요? "현재는 다른 분야, 교육 쪽에서 일하고 있어요. 남편이 소득이 불규칙한 프리랜서가 아니라 안정적인 직장을 가지고 있어서 제가 여기로 이주할 때 큰 도움을 받을 수 있었어요. 네덜란드로 이민을 희망하는 사람들이 많아서 이민법이 갈수록 까다롭게 바뀌고 있어요. 외국인 파트너를 데리고 오려면 네덜란드 국적을 가진 본인이 수년간 정기적인 소득, 일정 이상 소득이 있음을 증빙해야 하거든요."

네덜란드에서의 삶이 동화 속에 사는 것 같다고 민지님이 표현해주신 게 인상적이었어요. 하루 일과나 루틴한 일들을 바탕으로 설명해주세요. "애플이가 어린이집에 가지 않으면 아침을 먹고 집 근처 자전거 도로나 주변을 산책해요. 예전에는 다른 엄마들하고 함께 실내 놀이터나 서로의 집에서 아이들을 놀리기도 했었지만, 지금은 코로나 때문에 주로 자연 속에서 저와 애플이 둘만의 시간을 보내요. 네덜란드는 주거지 인근에 꼭 놀이터가 있어야 해서 놀이터가 많아요. 공원도 많고 어린이 농장도 있어요. 공짜로 동물들한테 먹이도 주고 놀 수 있어서 자주 가요.
서울에 살 때는 이런 삶을 상상해본 적이 없어서 동화 속에서 사는 것 같았어요. 처음에 네덜란드에 왔을 땐 서울 같은 큰 도시와는 너무 다른 환경이라 여기서 못 살 것 같다고 생각했어요. 남편한테 제가 돌아가서 1년 안에 자리 잡을 테니 서울로 오라고 했었거든요. 그런데 그때 서울에서의 제 업무 환경이 너무 힘들어 번아웃이 왔어요. 결국 남편이 안정적인 직장을 가지고 있는 네덜란드 행을 택했죠. 덕분에 많이 치유도 되고 아이도 낳고 어느덧 정착하게 되었네요."

네덜란드의 보육 환경은 어떤가요? "어린이집을 지난 가을부터 보내고 있어요. 처음엔 아이가 낯선 환경에 적응하느라 많이 울었어요. 지금은 어린이집에 가자고 하면 좋아하고 친구들이 먼저 이름 부르면서 다가오기도 하지만요. 선생님들이 아이와 함께 사과잼 만들기나 미술놀이처럼 다양한 체험을 시켜주셔서 좋더라고요. 전 다행히도 유학을 준비하느라 영어 공부를 계속했고 네덜란드에는 영어 잘하는 사람들이 많아 소통이 가능한 것도 다행인 부분이에요. 영어로 소통이 어려운 선생님들과는 부족하지만 네덜란드어로 대화하고 있어요. 어린이집 비용은 1시간에 8유로 20센트. 한국 돈으로 19,000원 정도로 비싸요. 어린이집 정부 보조금이 있는데 양쪽 부모가 모두 일을 해야 받을 수 있어요. 그래서 일하는 엄마 비율이 높아요. 전 프리랜서라서 보조금을 받을 수 있을지 없을지 아직 몰라요. 조건이 충족되는지 뚜껑을 열어봐야 해요. 보조금은 어린이집을 보내고 두 달 뒤에 신청하는데 만약 제가 조건이 안 되면 비용을 전부 부담해야 해요. 정말 어린이집을 보내기 위해 열심히 일하고 있어요. 돈을 벌면 어린이집이나 베이비시터 비용과 높은 세금으로 거의 다 나가니까 처음엔 '이게 뭐 하는 거지'라는 생각도 들었어요. 그런데 집에서 육아만 하다 보면 쉽게 우울해지고 멘탈이 붕괴될 것 같아서 어린이집 비용을 심리상담 비용이나 저를 위한 투자금으로 치자고 생각했어요."

엄마라는
새로운 정체성을 더하다

네덜란드에서의 첫 개인전은 어떻게 열게 되셨어요? "예전부터 알고 지내 온 네덜란드 엄마가 있어요. 육아 조기에 길에서 만났는데 제가 너무 힘들어 보이니까 집에 초대해 주셨어요. 당시엔 친분이 없을 때라 부담스러워서 5개월이 지나고서야 갔어요. 울(wool)로 작업을 하는 아티스트인데 집에서 같이 손으로 울공예를 하며 이야기를 나누다 서로의 사정을 알게 되었어요. 아이 셋 키우며 전업주부로 살면서 아이들 아프면 어린이집도 못 보냈다고, 이제야 10년 만에 내 일을 하기 시작했다고 얘기하면서 절 많이 다독이고 힘을 줬어요. 그날 이후 종종 연락하면서 동갑인 것도 나중에 알게 됐어요.
그 뒤론 서로 인스타그램 팔로우하면서 좋아요도 눌러 주다가 지인인 축제 기획자에게 제 계정을 소개해준 거죠. 그 분이 적극적으로 제 계정에 DM도 보내주시고, 인스타툰에 '영어로 번역해서 올려주세요'라는 댓글도 달아주시고. 페스티벌 관련 이야기를 나누다가 이 두 분이 전시회 관계자를 소개해 주면서 개인전으로 이어지게 되었어요. 도와주고 나서 생색내는 걸 바라지도 않고 '너는 충분히 그럴 가치가 있어', '잘됐어'라며 축하해 주셨죠. 몇 안 되는 좋은 인연들이 일도 가져다주고 도서관 겸 전시관에서 협업으로 같이 작업하게 되고. 처음부터 제가 먼저 살려달라 도와달라 손 내밀지 않았으면. 또 육아하면서 꾸준히 제 작업을 하지 않았다면 연결되지 못했을 거예요. 그땐 일도 없고 잠도 못 자고 아무도 연락할 에너지도 없었던, 혼자 고립되어 있던 시기였어요. 낯을 가리는 편인데 누군가 다가와 괜찮냐 물어봐 준 게 툭 터진 거죠."

엄마라는 정체성이 새로운 변화의 기회와 계기가 되었네요. "확실한 건 임신·육아·출산이 엄마를 무너뜨리는 용어가 되기도 하지만 오히려 더 열심히 일하게 되는 계기가 되었다는 거예요. 그저 힘들다고 징징거리기만 했으면 친구가 다른 이에게 제 인스타그램(@applemom_nl)을 보여주지도 않았을 거잖아요. 포기하지 않은 게 정말 잘한 일이라 생각해요. 전시 기획자는 엄마가 아니라 저에게 공감할 수 있는 부분은 말 그대로 포트폴리오뿐이거든요. 아이 키우며 멘탈 관리하고 작품 활동했던 게 이제 와서 보니 제가 설 수 있는 바탕이 되었어요. 육아 때문에 일을 포기하려는 엄마들이 이런 걸 알았으면 좋겠어요. 만약 좀 더 일찍 알았다면 더 적극적으로 했을 거라는 생각이 들었어요. 계속하다 보면 다른 레퍼런스를 통해 힘을 얻는 기회가 언젠가는 오더라고요."

'애플이의 엄마' 또한 정체성의 하나이자 창작의 계기, 영감의 원천이 된다는 이야기가 와닿았어요. "애니메이션 첫 작품들은 영화제 출품을 목표로 메타포, 디스토피아적인 관점으로 만들었어요. 다크한 블랙코미디. 절대 따뜻하다는 소리를 들어본 적이 없어요. 그렇게 일하며 지내다가 맡았던 한 프로젝트의 살인적인 업무 때문에 번아웃이 와서 그림을 안 그리려고 했어요. 백지 증후군이라고 그림 그리면 토할 정도였죠. 그런데 임신하고 카메라로는 남길 수 없는 여러 감동적인 순간들을 남기고 싶어 다시 그림을 그리기 시작했고, 그걸 인스타그램에 올리면서 육아 소통도 하게 되었어요. 그때 사람들이 처음으로 제 그림이 따뜻하다, 위로를 받았다고 얘기 해주셨어요. 모두 애플이 덕분인 것 같아요. 양면적이긴 한데 여기선 누구누구 엄마라고 안 불러요. 이름 부르지. 그러다 보니 엄마라는 아이덴티티를 더 부여하려고 애플맘이라는 닉네임을 쓰게 되었어요. 그런데 동명의 이름을 이미 상업적으로 사용하고 있는 분들이 계셔서 얼마 전부터 '애플맘J'라는 닉네임을 사용하고 있어요."

개인적으로 민지님의 '나를 지구로 이끌어주는 작은 손' 인스타툰을 보고 울컥했어요. 아이가 영감을 줄 때마다 노트에 남긴다고 하셨는데 어떤 방식으로 기록하시는지 궁금해요. "임신했을 때부터 끄적거린 노트를 모아놨어요. 임신 중에 먹었던 키위 브랜드 스티커랑 영수증도 붙여놓고 메모와 그림으로 당시의 감정이나 상황을 남겼죠. 힘들었지만 행복했었다 싶어요. 노트를 훑어보다가 여기서 다른 분들도 공감할 만한 아이템은 디지털로 작업해서 올려요. 일기도 그림이랑 간단하게라도 꾸준히 썼어요."

작가님의 작품 때문에 상처를 받는 이들이 없었으면 좋겠다는 말이 기억에 남아요. 어떤 계기가 있었나요? "모든 게 포함된 건데요. 엄마가 되기 전에 3편의 단편 애니메이션을 만들었어요. 내용은 그렇지 않더라도 스토리를 끌고 나가는 주인공이 남성이었어요. 무의식적으로 그렇게 설정한 거죠. 그걸 깨달은 이후부터 페미니즘 서적도 많이 읽고 공부를 시작하게 됐어요. 제 작품을 보는 여자들이 소외감을 안 느꼈으면 하거든요. 애플이를 임신했을 때부터 딸이면 어쩌고 남자면 어쩌고 등 성별에 대한 고정관념에서 비롯된 주변 사람들의 말에 신경 쓰고 싶지 않았어요. 이런 제 의사가 모든 의료진들에게 전달되어 출산 전까지 아무도 저희 커플에게 성별을 알려주지 않았던 점이 인상 깊었어요. 그리고 딸을 기르면서 여성의 권리를 더욱 생각하게 되었죠. 그래서 상처받는 여성, 더 나아가 장애인, 채식주의자, 이민자 등 소수 집단에 대한 선입견과 차별이 없어졌으면 좋겠다고 생각하게 되었어요. 어린이날 관련 일러스트에 장애를 가진 아동을 등장시킨 것도 그런 이유에요."

애플맘이기 전에 나.
정민지

가장 기억에 남는 인스타툰은 무엇인가요? "초반에 올린 행복한 그림들은 사실 울면서 올렸어요. 산후우울증도 있었고. 또 남편이랑 대판 싸워서 한국에 가려고 했는데 짐 쌀 게 너무 많은 거죠. 그 새벽에 이러지도 저러지도 못하는 복잡한 마음으로 그림을 그렸어요. 다행히 다음 날 화해했어요. 저희는 빨리 화해하는 편이에요. 하지만 속상할 때는 인스타툰이나 일러스트를 그리며 마음을 많이 달

래죠. 고 이중섭 선생님이 가족과 떨어져 있어서 슬픈 마음을 달래려 가족 그림을 많이 그리셨거든요. 저도 육아 초기에 너무 힘드니까 오히려 행복한 그림을 많이 그렸어요.
홀아비 심정은 과부가 잘 안다고 엄마들 사정은 엄마들이 더 잘 알 수밖에 없죠. 제 개인전을 할 수 있도록 소개해준 분들이 다 엄마들이잖요. 제가 애플이 데리고 피곤에 찌든 모습으로 산책하러 나가면 괜찮냐고 묻거나 위로해주는 이들도 엄마. 인터넷에서 제 작품들에 많은 응원을 보내주시는 분들도 전 세계에 살고 계신 엄마들이고요. 국적을 뛰어넘어 연대하게 되는 거죠. 이렇게밖에 할 수 없는 이유가 두려움 때문인 것 같아요. 내가 이런 걸 할 수 있는 사람이라는 걸 잊을 것 같고, 도태될 것 같고. 아기 엄마로 온종일 살다가 밤에는 나로 돌아간 것 같아요. 코피 흘리면서도 일하는 게 좋았어요. 엄마이면서도 나 자신을 잃지 않을 수 있는 방법이었거든요.
친정어머니가 저를 많이 응원해주시는데요. 출산 후 집에만 있느라 많이 우울했던 저를 위로하려고 어머니가 '3년은 네가 일을 못 하더라도 아이를 키우는 게 가장 중요하다'고 하셨어요. 그런데 곰곰이 생각해보니까 그게 아니더라고요. '그럼 나는? 만약 둘째를 낳으면 6년, 셋째까지 낳는다면 약 9년 동안 아이에게만 오롯이 집중해야 하는데. 그 후의 나는?' 이런 생각이 드는 거죠."

네덜란드에 살면서 아무래도 한국과는 다른 문화적인 차이를

경험하게 되셨을 거예요. 그중에서도 '엄마'를 바라보는 관점의 차이가 궁금해요. "출산한 지 얼마 안 되었을 무렵이었어요. 네덜란드는 주변 사람들이 집에 놀러 오는 문화라 제가 직접 카드를 디자인해서 초대장을 보냈어요. 특히 남편의 보스인 네덜란드 워킹맘으로부터 위로를 많이 받았어요. 그땐 너무 힘드니까 결혼을 아직 안 했거나 아이 낳지 않은 사람을 질투할 정도였거든요. '너는 엄마도 될 수 있고 네가 원하는 꿈도 이룰 수 있어. 그러니 포기하지 말고 꿈을 향해 가라. 얼마든지 힘들면 얘기해라. 커피 마시자. 이거 다 지나간다. 절대 포기하지 말아라'는 이야기였죠. 국적을 떠나서 일하는 엄마들 서로가 으쌰으쌰 해주는 분위기가 있어요.

반면 한국분을 만나 비슷한 얘기를 한 적이 있었는데요. '네가 뭐가 불만이냐, 배가 불렀다. 일 생각 말고 애플이 같이 예쁜 아이들 더 낳아서 얌전하게 살림하며 집안에서 내조하는 게 여자의 최고의 행복이다'라는 얘기를 들었어요. 그 말을 듣고 굉장히 무기력해지는 느낌이랄까. 엄마가 되었으니 일을 생각하는 게 사치인가 하는 생각이 들어 더 조심하게 되었죠. 또 어떤 분은 4.3kg 아이 진통제 없이 낳다가 죽다 살아난 제게 엄살 부리지 말라고, 욕먹는다고. 그래서 남들한테 티 안 내고, 주변에서 도와준다는 사람이 있어도 아예 도움을 못 청했어요. 출산 후 일년 내내 말 그대로 독박 육아였어요. 신랑은 휴가를 육아휴직과 주말을 합쳐 일주일밖에 못 썼고요.

일하고 육아를 병행하는 게 힘들다고 인스타에 올리니 한국의 남성

지인이 '신랑이 벌이가 시원치 않아서 이렇게 힘들게 일하냐'고 물어보시더라고요. 집에서 잘 쉬고 있다는 걸 보여줘야 결혼을 잘했다는 척도로 보이나 하는 생각이 들었어요. 결혼하기 전에는 일하는 게 당연한 거였는데 엄마가 된 이후에는 그게 남편의 부족함으로 보이나? 공부를 열심히 하고 치열하게 살아온 게 결국은 한 남자를 만나기 위한 거였나? 이런 생각도 들더라고요."

엄마가 되기 전엔 엄마로 살면서 내 일을 이어가는 게 이렇게 힘들 거라고 예상했나요? "전 어려워질 줄 알았어요. 대학원에서도 결혼해 아이가 생기면 학교로 돌아오기 어렵더라고요. 첫째 키우고 왔는데 다음 달에 둘째가 생겨 다시 돌아간 경우도 있었어요. 직장 다닐 때 워킹맘 상사가 일과 육아를 병행하느라 매일 고군분투하는 모습을 옆에서 지켜봤고요. 그런 모습들을 보며 나는 나중에 아이를 낳고 어떻게 키우며 동시에 일을 할 수 있을까 고민이 많았는데 아이 낳고 나니까 현실은 상상했던 것보다도 더 힘들더라고요."

엄마가 되기 전과 후를 나눈다면 내 커리어에서 가장 달라진 점은 무엇인가요? "엄마가 되기 전에는 시간이 많이 들어가는 애니메이션 프로젝트의 기획부터 작업까지 다 맡았어요. 엄마가 된 후에는 시간이 없으니까 빨리할 수 있는 작업 위수로 하게 돼요. 또 어린이집을 보낸다 해도 아이가 그곳에 머무는 시간은 제한되어 있으니 시간

대비 가성비를 따지게 되고요. 좋은 점은 한번 일할 때 집중력이 어마어마하게 높아졌어요. 엄마가 되니까 시간을 효율적이고 밀도 있게 쓰는 법을 터득한 기분이 들어요.
네덜란드는 이민자들이 어학시험을 봐야 하는데 통과를 못 하면 벌금이 1,800유로나 돼요. 다행히 시험은 예전에 통과했어요. 어학시험을 통과하고 나면 네덜란드 직장에서 일해보고 싶었는데 막상 출산하고 나니 아이와 시간을 더 보내고 싶어 프리랜서로 일을 계속하게 되었어요. 일이 중요하냐, 아이와 같이 있는 시간이 중요하냐를 계속 따지게 돼요. 엄마가 되니 '일이 내게 대체 뭘까'에 대해서 새삼스럽게 참 많이 생각에 잠기네요."

엄마가 계속 일할 수 있도록 제도적으로 꼭 개선되어야 할 점이나 필요한 점은 무엇일까요? "어린이집이나 베이비시터 비용 부담이 커요. 가사 도우미도. 이 모든 것들이 퀄리티가 좋았으면 하는 바람도 있죠. 영아기에는 아이와 한집에서 떨어지기 싫은 마음과 동시에 잠깐이라도 제 일을 하고 싶어서 베이비시터를 고용할 수밖에 없었어요. 이런 비용이 저렴해지면 엄마들이 일할 기회를 더 많이 얻을 수 있을 것 같아요."

민지님에게 일이란 무엇인가요? "누구의 엄마도 아니고 오로지 나 자신일 수 있는 계기인 것 같아요."

내 일을 지키고 싶은 엄마들에게 당부하고 싶은 말이 있다면?

"아기가 어려서 1년 정도 같이 있을 땐 조바심이 컸어요. 돌이켜 생각해보니 갓난아기와 있을 수 있는 시간은 별로 없잖아요. 너무 조바심 내지 말고 아기와 함께 있는 시간을 즐기면서 틈틈이 자신을 위한 계획과 준비를 하면 좋겠어요."

Interviewer's Note

아이가 생기고 결혼이주여성으로 낯선 지역에 살아가게 되면서 민지님의 인스타툰을 기다려 왔다. 외국에 살면 최소한 덜 억울하지 않을까 막연히 생각했다. 내 나라임에도 불구하고 나는 내가 살던 곳이 미친 듯이 그리운 이방인이었다. 육아 좀비 시절엔 제대로 잠을 자는 게 소원이었고 육아 우울기에는 내가 내린 결정을 뼈저리게 후회했다. 이 작은 나라에서 이토록 다른 세계가 펼쳐질 줄이야. 분명 한국말로 소통하지만 또 다른 언어 장벽이 있었고 문화와 가치관의 차이를 매일 실감했다.

그 와중에 민지님의 이야기를 들으며 내 일기를 보는 것 같았다. 육아를 하면서 남편과의 대립은 당연한 수순일 수 있다. 다만 대문을 박차고 나와 호기롭게 원가족의 품으로 돌아가고 싶을 때도 생길 뿐이다. 그렇지만 물리적인 거리에서 한번, 끝도 없는 아이의 짐 목록에서 그야말로 발목이 잡힌다. 마음 둘 곳 하나 없는, 몸과 마음도 엉망진창인 상태에서 우리를 단단하게 만들어 준 건 또 다른 엄마였다. 그러니 마음 편히 손 내밀 것. 혼자가 아니다.

/ 유미

제작 비하인드

제4의 멤버 정완이

"정완아, 안녕~" 밤마다 진행된 인터뷰에 빠지지 않았던 제4의 멤버 정완이. 낮에도 바쁘게 일했을 텐데 아이와 보내야 할 밤 시간까지 무리하게 만든 건 아닌지 유미님이 늘 마음 쓰였어요. 저흰 정말 괜찮았는데 미안해하는 유미님이 더 안쓰러웠죠. 저도 어린 아이들 데리고 교육이나 포럼 등에 다니고는 했어요. 코로나로 온라인으로 모두 전환되면서 아이와 함께하는 건 더 자연스러운 일상이 됐고요. 일하는 엄마, 아빠와 아이가 함께 하는 일상은 당연하니까 우리 너무 미안해 말기로 해요, 유미님." / **인성**

"우리 애만 안 자는 건가요?" 인터뷰 시작할 때 유미님의 단골 멘트였어요. 5살 아기 공룡 정완이는 때로는 컴퓨터 앞에 난입하기도 하고, 때로는 유미님이 놀란 표정으로 화면 밖으로 사라지기도 했어요. 음소거를 해놓기는 했지만 화면 너머로 어떤 일이 벌어지고 있을지 너무 잘 알 것 같았죠. 인터뷰이, 인터뷰어 모두 엄마들이기에 정완이가 등장하면 모두 두 손을 흔들며 반갑게 맞아줬어요. 일하는 엄마와 아이가 세트로 있는 풍경은 우리에게 너무나 익숙하니까요. 이런 모습이 누구에게나 어색하지 않은 사회가 됐으면 좋겠어요." / **현진**

절절한 신청 사연에 '울컥'

이번 인터뷰 작업을 하면서 더 다양한 서사를 찾고 싶어 인터뷰이 신청을 받기로 했어요. 기대도 됐지만 한편으론 '아무도 신청 안 하면 어떡하나' 걱정도 돼 공지 후 초조한 마음으로 기다렸어요. 다행히 많은 분이 신청해 주셔서 감격했는데요. 일하는 형태와 분야도 다양했어요. 더 놀라웠던 건 신청해 주신 분들이 자신의 사정과 고민을 정성스럽게 써주셨다는 거예요. 하나같이 절절한 사연에 저희 모두 울컥할 때도 많았어요. 그중 김우영님, 박성혜님, 안자영님, 이민정님, 장명희님, 정민지님의 이야기가 인터뷰집에 실렸고요. 더 인터뷰하지 못한 게 여전히 아쉬워요. 다시 한번 인터뷰 신청해 주신 분들에게 감사 인사 전해요. / **인성**

조심스러웠던 인터뷰 섭외

인터뷰 신청을 받기도 했지만 직접 섭외를 한 분도 있었어요. 〈베이비뉴스〉에 실린 송지현님의 칼럼을 읽고 '이 사람 이야기를 꼭 듣고 싶다'는 생각이 들었어요. 단톡방에서 마티포포 멤버들에게 글을 공유했고 모두 같은 생각이었죠. 일과 가정 사이에서 자신만의 속도와 방식으로 일을 이어가고 있는 다양한 엄마의 모습을 담고 싶었어요. 싱글맘 지현님 이야기도 꼭 들려드리고 싶었고요. 어렵게 연락처를 수소문해서 메일을 보냈어요. 혹시 이름을 밝히고 인터뷰를 하는 게 부담스럽지 않을까. 걱정했는데 지현님의 첫 반응은 "무조건 좋습니다."였어요. 지현님은 다른 인터뷰이 분들 이야기도 너무 궁금하다고 했어요. 이번 인터뷰가 지현님에게 또 다른 연결고리가 됐으면 하는

바람이에요. 한부모 가정의 현실에 대해서도 더 많이 알려졌으면 좋겠고요. / **현진**

열정 돋보인 A4 10장 답변지

인터뷰를 시작하기 전, 인터뷰이 분들에게 사전 질문지를 보내드렸어요. 아무래도 미리 고민하지 않았던 내용을 즉석에서, 그것도 온라인에서 바로 답변하기란 쉽지 않으니까요. 이민정님은 무려 A4 10장 분량의 답변지를 미리 작성해서 보내주셨는데요. 그 열정과 정성에 모두 놀랐던 기억이에요. 10명의 인터뷰이 분들은 대체적으로 뭐든 열심히 하는 분들이었어요. 인터뷰 준비도 열심히. 인터뷰 후 피드백도 열심히 답변 주시고요. 성실하고 다정한 인터뷰이 분들 덕분에 인터뷰 프로젝트를 무사히 마칠 수 있었어요. 감사해요. / **현진**

첫날부터… 눈물의 인터뷰

애 둘, 직장, 사이드 프로젝트…. 비슷한 키워드가 많아 귀 기울였던 이혜선님 인터뷰. "두 다리에 모래주머니를 차고 있는 것 같다."는 말에 첫 인터뷰부터 눈물이 터졌어요. 딱 제 심정이 그랬거든요. 전력질주도 하고 싶고 홀가분하게 뛰어 나아가고도 싶은데 두 모래주머니가 내 발목을 잡는 것 같았어요. 답답하기도 아이들에게 미안하기도 했죠. 이어 "100미터 달리기가 아니라 마라톤을 뛰어야 하니 힘 빼라."는 혜선님 말도 큰 위로가 됐어요. 힘 빼고 차근차근 천천히 달리다 보면 더 가벼워진 다리로 멀리 뛰어나갈 수 있는 때가 올 거라 믿어요. 어쩐지 모래주머니가 조금은 가벼워진 것 같아요. / 인성

최장시간·최장거리 인터뷰

가장 먼 곳에 있지만 가장 오랜 시간 인터뷰한 '애플맘' 정민지님. 민지님은 네덜란드에 살고 있는데요. 우리가 인터뷰하던 밤, 네덜란드는 낮이었어요. 오랜만에 아이를 남편에게 맡기고 '어른들만의 수다'를 한다는 민지님의 상기된 얼굴이 아직도 떠올라요. 아이디어 스케치, 메모가 가득한 노트까지 보여주면서 얘기하시는데 저희도 신나 인터뷰를 멈출 수가 없었어요. 질문은 다 끝났지만 한 시간 넘게 얘기하고 인터뷰 마치고 유미님과 둘이 또 얘기하고. 한 4시간쯤 달린 것 같아요. 자러 가면서 이날 인터뷰를 정리해야 하는 유미님에게 미안해지더라고요. / 인성

배경화면 랜선투어

익숙한 줌이 아닌 구글 밋으로 화상회의에 접속했을 때 설정하지 못한 배경화면에 뜨악했어요. 잡동사니를 넘어 혼돈의 카오스가 적나라하게 오픈되어 버린 거죠. 모니터 너머로 진땀을 흘리며 온갖 메뉴를 눌러보다 금세 포기하고 회의에 집중했지만, 줌에서는 조금이라도 책을 홍보해 보겠다며 〈포포포 매거진〉 커버를 배경으로 쓰고 있어요. 화상회의가 일상이 되어버린 요즘 남의 배경화면을 구경하는

재미가 꽤 쏠쏠한데요. 실제 집의 거실(물론 정돈된 상태)을 찍어 배경으로 쓰고 계신다는 자영님의 팁은 신의 한 수. 인위적이지도 않고 자연스러우면서도 '이 바쁜 와중에 집까지 이렇게 깔끔하단 말이야~!' 라는 감탄사가 절로 튀어나왔죠. 그렇지만 제 배경화면은 여전히 고정. 한 명이라도 더 알려야 한다는 독립매거진 제작자의 구구절절함은 촌스러울지언정 대놓고 앞광고로 갈 수밖에. / **유미**

자정의 하이텐션

밤 10시에 시작한 인터뷰는 자정을 넘기기 일쑤였어요. 이틀에 한 번 꼴로 밤마다 인터뷰를 진행하려니 지치는 게 당연한데요. 매번 힘들다고, 심지어 번아웃인 것 같다고 징징대면서도 인터뷰 마치고 나면 또 한껏 들뜨던 우리. 갑자기 샘 솟는 아이디어로 회의가 이어지기도 하고…. 힘들다면서도 결국 다 해버리니까 웃어넘기고 말았네요. 이 웃음이 제정신에서 나온 것인지는 알 수 없지만 자정의 하이텐션으로 이끄는 '알 수 없는 힘'이 있었던 건 분명해요. / **인성**

인터뷰를 가장한 1:1 상담

엄마들과 하는 인터뷰에서는 시간을 맞추는 게 가장 관건이었어요. 9번의 인터뷰는 적어도 인터뷰어 2명이 함께 들어갔는데 도저히 시간이 안 맞아서 1:1 인터뷰를 한 적 있어요. 저와 조현주님의 인터뷰였는데요. '디어타운느'의 번역 처방 서비스 '아임마켓' 론칭 때문에 인터뷰는 몇 번 더 미뤄졌고 마침내 마주한 인터뷰는 엄마의 창업에 대한 1:1 상담이 됐어요. '내가 과연 창업을 할 수 있을까' 많은 고민을 하고 있던 상황이었는데 "일단은 물통에 물을 채우는 걸 목표로 했다"는 현주님의 이야기가 큰 용기를 줬어요. 함께 하는 대화도 좋지만 1:1로 깊게 하는 대화의 힘을 느낀 순간이었어요. / **현진**

온라인 인터뷰 30시간. 비대면으로 책 만들기

시간 거지라 부르고 엄마라고 읽는 우리네 삶의 수식어는 '안절부절', '전전긍긍'으로 요약되는데요. 밤에 만나고 새벽에 일할 수밖에 없기에 처음부터 모든 게 비대면이어야만 했어요. 엄마가 회의만 하면 홍이 올라 모니터를 두드리는 아이를 한 손으로 막으며 키보드를 사수하기 바빴죠. '왜 이렇게 늘 시간 거지로 살아야 하는가'라는 분노는 '나만 이렇게 살아?'로 이어지다 다양한 엄마들의 레퍼런스를 만나며 동병상련과 눈물바다로 이어졌어요. 인터뷰만 30시간, 전후로 필요한 회의 시간은 3배는 더 들었을 거예요. 오히려 비대면이었기에 국경과 타임라인의 제약을 받지 않을 수 있었어요. '또 열심히 해버렸다'가 매일의 자책 사유인 이들이 모이다 보니 90분 예정이던 인터뷰는 자정이 넘도록 끝나지 못했거든요. 그 덕에 손가락에 쥐가 날 정도로 키보드를 두드렸어요. 긍정적인 의미의 키보드 워리어가 되어 불살랐던 열정의 파이팅이 전해지기를. / **유비**

하루 만에 동난 핸드북 안내서

'내 일을 지키고 싶은 엄마를 위한 안내서-핸드북'은 1,000부를 제작했어요. 여성가족부 지원 사업을 받아서 무료로 배포하기로 했는데 처음에는 이 많은 책을 어떻게 다 배포하지 막막했어요. 공공기관이나 동네 서점 같은 거점을 찾아가야 하나, 맘카페에 올려야 할까. 고민하다 일단 마더티브와 포포포 매거진 SNS 통해 신청을 받아 보기로 했어요. 자기 소개와 함께 배포 계획도 적어 달라고 했죠. 결과는 놀라웠어요. 80명 가까운 개인, 단체에서 핸드북을 신청해 주셨고, 하루 만에 서둘러 신청 접수를 마감해야 했어요. 신청 사연도 하나같이 어찌나 정성스럽고 절절한지. 현재는 전업주부이지만 언젠가는 일터로 돌아가고 싶다는 엄마, 하루에도 열두 번씩 퇴사를 고민한다는 엄마, 책을 받으면 임원분들도 보실 수 있게 회사 서가에 꽂아두겠다는 엄마, 어린이집 학부모, 선생님들과 함께 읽고 싶다는 엄마…. 이 모든 분들에게 어떻게 도움이 될 수 있을지, 어떻게 하면 이 엄마들을 연결할 수 있을지. 저희의 또 다른 고민은 시작됐답니다. / **현진**

전생에 제가 실장님을 구했나 봐요~!

모두 다 코로나 때문이라고 원망을 퍼부어도 달라지는 건 없지만, 그래도 바이러스는 보이지 않으니 실컷 미워라도 해보렵니다. 당장 내 일이라도 어린이집이 막히면 비상. 긴급보육이 가능하다 해도 아이 등원시키며 텅 빈 신발장을 볼 때면 더없이 괴로워지죠. 집중해서 끝내기에도 모자란 일들을 아이를 돌보면서 사수하는 전쟁 같은 나날들. 역시 아이 엄마인 디자인 실장님의 작업실 풍경을 안 봐도 비디오인 건 매한가지.
핸드북에 이어 확장판 인터뷰집까지 연달아 책 두 권을. 갑작스러운 디자인 변경 요청에도 디테일한 부분까지 더 예쁘게 만들어주시는 실장님께 늘 죄송하고 감사한 마음이에요. 실장님과 주고받은 톡과 메일은 레알 스압주의. 별거 아니라고 생각할 수 있는 수정 사항 하나 때문에 이 촘촘한 선들을 해체해 처음부터 다시 설계해야 하는 실장님의 숨은 노고를 보면서 다시 깨달아요. 좋은 사람 거기에 초!능력자와 함께 할 수 있다는 건 축복 그 자체라는 진리를. / **유미**

에필로그

첫째 아이 육아휴직 후 복귀한 직장에는 내 자리도, 롤모델도 없었습니다. 어디를 보고 달려야 할지 막막했고 '네가 돌아오지 않을 줄 알았다'는 상사의 날카로운 말에 난 생채기는 지금도 아릿합니다. 둘째 아이 육아휴직을 시작했을 때 '내 일'은 완전히 곤두박질친 것 같았습니다. 그때 엄마의 서사를 만들고 싶은 동료들과 〈마더티브〉를 창간했고 엄마의 서사에 집중하다 보니 자연스레 방향은 '일'로 향했습니다.

'내필내만'. 이번 인터뷰집의 시작은 내가 필요해서 내가 만드는 책이었습니다. 막막했던 커리어 앞날, 세상이 주목하는 롤모델은 너무 먼 얘기였고 소소해도 레퍼런스 삼을 수 있는 진짜 이야기가 필요했습니다. 10인의 인터뷰이 그리고 함께 책을 만든 현진, 유미까지. 각기 다른 나만의 방식으로 내 일을 지키며 나아가는 엄마들의 서사와 연결되면서 저는 자유로워졌습니다. "애는 누가 보냐"는 면접관에게 "아이가 없는 것처럼 일할 수는 없다" 솔직히 말하게 됐고 조직 안팎에서 내게 맞는 일을 유연하게 할 수 있는 가능성에 더 집중하기로 했습니다. 어쩌면 머리로는 알았던 것들을 확신하기 위해 더 파고들었던 것 같습니다.

아이들을 돌보며 내 일을 지켜나가는 건 여전히 위태롭지만 아이들도 엄마도 자라는 시간임은 분명합니다. 한동안 출근길에 "회사 가지 말라" 떼쓰던 첫째 아이는 "일하는 거 힘든데 포기하지 않아서 주는 상"이라며 직접 만든 상장을 퇴근길에 쥐여줍니다. 적응력 좋은 둘째 아이는 어린이집을 집처럼 다니며 '일하는 엄마'를 당연하게 받아들여 주었고요.

내 일을 지키며 나아가는 엄마들의 서사는 저에게 이 위태로운 시간을 그저 버티는 게 아닌 나아가고, 나아지는 과정으로 만들어주었습니다. 막막하고 답답하기만 하던 시간, 위로와 용기로 새 길을 보여주고 성장하게 한 것, 엄마들의 이야기가 계속되고 연결돼야 하는 이유입니다.

/ **인성**

크고 작은 사건들을 수습하다 보면 하원 시간이었고 밤을 하얗게 지새워도 해야 할 일들은 쌓여만 갔습니다. 아이를 재우고 살금살금 빠져나와 다시 일하러 앉기까지. 그 짧은 시간 동안 엉겨 붙은 수만 가지 생각으로 발걸음은 천근만근. 동공이 다시 빛을 받아들이는 동안 피곤한 몸과 마음의 리듬을 각성시켰습니다. 어떠한 방해도 없이 일에 몰입할 수 있는 모두가 잠든 이 시간만큼은 어떻게든 사수해야 한다는 나름의 결연한 의지로 말이죠.

낯선 지역에서 맞이한 육아의 세계는 끝이 보이지 않는 터널처럼 다가왔습니다. 할 줄 아는 게 잡지라 인생에 한 번도 고려해보지 않았던 창간을 저지르기까지. 이곳에서 내가 해왔던 또 앞으로도 하고 싶은 일을 할 수 있는 유일한 대안은 창업뿐이었으니까요. 숨이 턱까지 차올라도 멈추면 안 될 것 같았습니다. "남편한테 허락받고 나왔냐?", "남편은 뭐 하는 사람이냐?", "애는 누가 돌보냐?" 마르고 닳도록 들어도 여전히 불편한 이야기들을 극복해 인정받고자 함이 아니었습니다. 좋은 예는 되지 못할지언정 나쁜 예로 남고 싶지는 않았습니다. 여기서 내가 무너지면 뒤에 올 누군가의 걸림돌이 될 것만 같았거든요. 엄마 스타트업, 엄마 매거진이라고 했을 때 "왜 포포포 (안 망하고) 있잖아!"라고 현재진행형의 예시가 될 수 있는, 지금도 앞으로도 실재하는 레퍼런스이고 싶습니다.

"무슨 부귀영화를 누리려고?", "그렇게까지?"라는 수식어를 매일 들으며 나만 이렇게 사는 걸까 궁금하고 외로워서 고독사할 것만 같았습니다. 새벽에 주고받던 또 다른 엄마와의 채팅은 이 망망대해 속에 혼자가 아니라는 불빛이 되어주었죠. 우리는 일을 넘어 서로를 지지하고 지탱해주는 버팀목이었습니다. 환경과 상황은 모두 달라도 애써 나의 일을 지키려는 마음은 같았으니까요. 엄마의 일이 혼자만의 외로운 싸움으로 끝나지 않도록. 수면 아래로 가라앉다 심연에 갇히지 않도록. 다양한 레퍼런스가 계속해서 쌓여가기를 바랍니다.

/ 유미

회사에 다니는 다른 워킹맘 선배들처럼 살고 싶지 않다고, 나는 새로운 롤모델을 찾아 퇴사하겠다고. 2년 전, 퇴사의 변이었습니다. 누군가에게 상처가 될 수도 있는 말을 어쩜 그리 뻔뻔하게 내뱉었는지. 그만큼 롤모델이 절실했습니다. 일과 육아 사이에서 죽도록 버티고 싶지도, 이렇게 버티고 버티다 어느 날 갑자기 일터에서 사라지고 싶지도 않은데 어떻게 해야 할지 몰랐거든요. 어쩌면 저는 일-가정을 완벽하게 양립할 수 있는 마법 같은 롤모델을 상상했는지 모르겠습니다.
퇴사 후 동료들과 〈마더티브〉를 창간해 운영하며 저처럼 일과 육아 사이에서 방황하는 수많은 여성을 만나게 되었습니다. 그러면서 천천히 알게 됐습니다. 애초에 완벽하고 매끈한 롤모델 같은 건 존재할 수 없다는 걸. 구질구질, 꾸역꾸역 어떤 날은 올라갔다 어떤 날은 내려갔다, 모두 저마다의 방식으로 하루하루 버티며 살아간다는 걸. 회사에서 만났던 여자 선배들처럼, 오늘도 컴퓨터 앞에 앉아 "엄마 이것만 할게, 잠깐만"을 외치며 죄책감을 느끼고 있는 저처럼 말이죠.
"다들 애 키우면서 어떻게 일하는 거지?" 이번 인터뷰 프로젝트는 온전히 사심에서 시작됐습니다. 모니터 너머로 질문하고 대화하고 웃고 울면서 제 안에 있던 오랜 응어리가 풀어지는 걸 느꼈습니다. '나만 힘든 게 아니었구나. 이렇게 살 수도 있는 거구나. 나도 한 번 용기를 내볼까' 지속가능하게 일하고 싶은 여성들의 온라인 커뮤니티 '창고살롱'의 시작은 이 책에 큰 빚을 지고 있습니다.
여전히 일-가정 양립은 어렵고 하루하루가 고난이지만 그럼에도 더는 벼랑 끝은 아닙니다. 평범한 서사가 쌓일수록 우리는 서로에게 레퍼런스가 될 테니까요. 이 책이 누군가에게도 작은 용기가 되기를 바랍니다.

/ **현진**

내 일을
지키고 싶은
엄마를
위한
안내서

초판 1쇄 발행 2021년 4월 1일
엮은이 마티포포
편집 정유미 최인성 홍현진
디자인 이유미
인쇄 북토리
펴낸 곳 포포포 | **출판등록** 2019년 4월 3일 제 2019-000005호
주소 포항시 남구 지곡로 394 제1벤처동 101호
웹사이트 www.popopomagazine.com
브런치 brunch.co.kr/@mothertive brunch.co.kr/@popopomagazine
이메일 mothertive@gmail.com popopo.magazine@gmail.com
인스타그램 @mothertive @popopo_magazine